REGARD SUR

LA RÉPUBLIQUE DÉMOCRATIQUE DU CONGO

Antoine Boyamba & André Ngwej Katot

PRÉFACE

Depuis 1885, notre pays est une nébuleuse d'événements sociopolitiques que beaucoup lisent, volontairement ou involontairement, de manière déformée. Toutes ces péripéties inouïes se doivent d'être relatées en toute objectivité.

Parmi les multiples contributions enregistrées dans ce sens, celle-ci mérite d'être parcourue. Elle émane de deux compatriotes, Antoine Boyamba Okombo et André Ngwej Katot End Nau, observateurs attentifs des grands faits historiques qui ont jalonné la marche du pays depuis la Révolution prônée par M'zee Laurent Désiré Kabila ; aussi les auteurs ont-ils perçu la nécessité de retracer, pour la postérité, le parcours réalisé par la République Démocratique du Congo ces dix dernières années.

Ce « *Regard sur la République Démocratique du Congo* », sans être une œuvre historiographique, répond cependant à un souci d'actualité et de vérité. Il réunit la synthèse de leurs perceptions et de leurs regards croisés sur ma démarche, mes perspectives et mes ambitions pour la Nation.

Le survol de cette décennie met en exergue plusieurs événements majeurs de l'histoire contemporaine de notre pays : la tenue du Dialogue intercongolais en vue de mettre fin à la guerre effroyable de 1998 ; l'instauration de l'ordre institutionnel intitulé « 1+4 » en faveur d'une gestion collégiale pacifique de l'État ; le référendum constitutionnel de 2005, le processus électoral de 2006 et, tout naturellement, le démarrage d'un ambitieux programme de reconstruction dit « les Cinq Chantiers pour changer le Congo » ; avec, en accompagnement, de nombreuses réformes administratives, sécuritaires, judiciaires, économiques, financières et socioculturelles indispensables.

Nous venons de loin, et même de très loin. Des sacrifices ont été consentis pour ramener la paix, et d'énormes progrès ont été réalisés. Je suis conscient qu'il reste encore beaucoup à faire et de grands challenges à affronter ensemble, puisque l'œuvre de reconstruction nationale est longue et ardue sur tous les plans, comme je l'ai rappelé le 8 décembre 2010, à l'occasion de mon discours sur l'état de la Nation.

En cette année 2011, qui marque à la fois la clôture des célébrations du Cinquantenaire de notre Indépendance et l'amorce du deuxième cycle électoral après celui de 2006, l'Histoire de notre pays mérite d'être lue correctement, si nous voulons réellement relever les défis qui nous attendent pour l'avenir.

« *Regard sur la République Démocratique du Congo* » répond à ce besoin.

Joseph KABILA KABANGE

SOMMAIRE

INTRODUCTION

La République Démocratique du Congo, comme seize autres pays africains, célèbre le cinquantenaire de son indépendance. Lors de son accession à la souveraineté nationale et internationale le 30 juin 1960, le Congo a tous les atouts pour devenir une puissance régionale de référence en Afrique mais il échoue, meurtri par des années de rébellions, sécessions et agressions.

Par le pouvoir d'un homme qui a su instaurer un climat de confiance, force est de reconnaître que la République Démocratique du Congo en a fini avec les pages sombres de son histoire.

En 2006 se tiennent les premières élections pluralistes libres, transparentes et démocratiques au cours desquelles Joseph Kabila Kabange rassemble la majorité des Congolais.

Le peuple choisit le chemin de la paix et de la démocratie.

Comme tout candidat, Joseph Kabila Kabange fait des promesses, celles de permettre à tout Congolais d'accéder à une vie meilleure. L'enjeu est de taille.

En grand Chef d'État, Joseph Kabila Kabange s'affirme comme un homme de parole. Pour tenir ses engagements, il se donne les moyens de sa réussite en édifiant cinq grands chantiers : « Infrastructures des voies de communication », « Santé/Éducation », « Eau/Électricité », « Logement » et « Emploi ».

« Regard sur la République Démocratique du Congo » est le témoignage de ce pays désormais tourné vers un avenir prospère où traditions et modernités se conjuguent.

Que ces quelques pages soient le juste reflet d'un pays en marche, bien ancré dans le vingt et unième siècle.

LES GRANDS REPÈRES

« *Nous venons de loin ; et même de très loin. Des sacrifices ont été consentis pour ramener la paix et des progrès ont été enregistrés. Je suis conscient qu'il reste encore beaucoup à faire. Ensemble, nous parviendrons à une paix durable sur toute l'étendue du territoire national.* »

(Extrait du discours du Président Joseph Kabila sur l'état de la Nation le 8 décembre 2010.)

En 1960, le Congo, ex-colonie belge, est dépourvu de cadres, ce qui l'empêche d'avoir les moyens d'assurer son indépendance. Après des décennies de destruction, des années de dictature et des guerres d'occupation, la République Démocratique du Congo organise de véritables élections libres et démocratiques en 2006.

Joseph KABILA KABANGE sort victorieux des urnes, élu à la tête du pays pour un mandat de cinq ans.

UN PAYS AUX DIMENSIONS

FANTASTIQUES

Étonnant, envoûtant pays, sa fantastique superficie (2 345 409 km²) et ses paysages font de la République Démocratique du Congo l'un des territoires les plus passionnants du monde, grand comme une fois et demie l'Europe, soit près de cinq fois la France ou quatre-vingts fois la Belgique. Paradoxe des conflits d'intérêts et des marchandages politiques entre les puissances européennes qui ont modelé les frontières africaines du dix-neuvième siècle, ce géant planté au cœur de l'Afrique a une façade maritime insignifiante. Néanmoins, le pays englobe pratiquement l'ensemble des terres baignées par le fleuve Congo. À l'image de la forêt vierge et de ses bois précieux, le pays regorge de richesses au point que l'on a pu parler de « scandale géologique » !

Non seulement la terre congolaise est assez généreuse pour satisfaire les besoins alimentaires vitaux de l'homme, mais son sous-sol abonde également en métaux précieux.

Les Congolais, sous l'impulsion de Joseph Kabila, sont bien décidés à tirer le meilleur de cette profusion.

Les « superpuissances » des décennies à venir auront trois dénominateurs communs :
 - un territoire aux dimensions d'un continent ;
 - des ressources naturelles aussi impressionnantes que variées ;
 - une population unifiée et portée par la même volonté tenace de vaincre le sous-développement.

Si en Asie, la Chine et l'Inde répondent à ces critères, tout comme le Brésil et l'Argentine en Amérique du Sud, en Afrique, force est de constater que la République Démocratique du Congo possède toutes les ressources pour répondre à cette ambition, à l'instar du Nigeria et de l'Afrique du Sud.

Forêt vierge de l'Équateur.

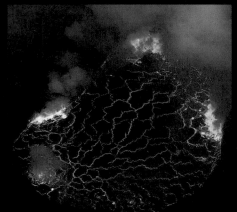

L' Est du pays se singularise par son relief montagneux. Ainsi, la « Route des volcans » s'étend sur des kilomètres et atteint des altitudes entre 1 800 et 3 500 mètres.

Plusieurs grands volcans s'y succèdent : le Mikeno, le Karisimbi, le Visoke, le Sabinio, le Gahinga, le Muhavura, le Nyamulagira et le Nyragongo. Ces deux derniers sont toujours en activité et leurs colonnes de flammes illuminent quelquefois les nuits tropicales comme pour rappeler leur présence terrifiante à l'homme qui pourtant construit sur leurs flancs.

C'est une terre fertile, couverte de laves, d'une noirceur particulière, étonnante et qui a donné naissance à une végétation luxuriante et des pâturages extraordinaires.

Végétation diversifiée de la forêt équatoriale.

Vue du cratère d'une montagne volcanique dans le Kivu.

LE DEUXIÈME POUMON DU MONDE

La biodiversité congolaise : un patrimoine pour l'humanité.

« [...] *En tant que deuxième poumon du monde par sa forêt, mon Gouvernement estime que désormais, la question du chan-gement climatique et de l'environnement passe par la mise en place d'une Autorité Mondiale de l'Environnement et devra impliquer les institutions tant publiques* que privées, la société civile ainsi que les milieux scientifiques [...] » déclare au sujet de son pays le Président Joseph Kabila.

« ... s'agissant de l'enjeu mondial autour de la question de la préservation de la planète, mon pays, qui est largement pourvu et gâté par la nature, réaffirme son engagement solennel de défendre la biodiversité dans sa politique et son Plan national de Développement... » (Extrait du discours du Président Kabila devant l'Assemblée générale de l'ONU le 23 septembre 2010.)

Pays immense, véritable tapis vert vu du ciel, le Congo est doté d'une faune et d'une flore extraordinaires. Ce géant d'Afrique, autrefois très apprécié comme destination touristique, a vu ses circuits désertés en raison des différents conflits armés.

Pourtant, ce pays, baigné par une multitude de cours d'eau (il détient à lui seul 13 % des eaux douces de la planète), met à la disposition de l'humanité plusieurs aires protégées dont les parcs nationaux de Garamba, Upemba, Kahuzi-Biega, Kundelungu, Virunga et Salonga (l'un des rares où règne la forêt).

UNE FAUNE ET UNE FLORE D'EXCEPTION

Réserve inépuisable d'espèces animales et végétales, la République Démocratique du Congo abrite des spécimens rares tels que le bonobo, chimpanzé nain du parc Salonga dans la province de l'Équateur, l'okapi de la réserve d'Epulu en Province orientale ou le rhinocéros blanc du parc de l'Upemba dans la province du Katanga. Ces réserves naturelles constituent des laboratoires uniques au monde. De nombreux spécialistes y affluent (biologistes, botanistes, géologues, géographes, vulcanologues, zoologues) pour étudier ce riche patrimoine de l'humanité dont la protection et la conservation font partie des préoccupations majeures du Président Joseph Kabila et de son Gouvernement.

Pour développer et revaloriser le secteur du tourisme indéniablement affaibli, le Président Kabila encourage le partenariat entre le public et le privé afin de créer de nouveaux circuits touristiques où la capacité des structures d'accueil et de prise en charge sera multipliée, modernisée et à la hauteur d'une clientèle exigeante. Comme Kinshasa, les villes de Lubumbashi, Kisangani et Goma voient de nouvelles constructions hôtelières pousser comme des champignons. Signe d'un dynamisme économique

retrouvé, le Congo profond se modernise avec une rapidité qui impressionne.

La RDC compte entre huit et dix mille sortes de plantes dénombrées dont près de 600 espèces d'arbres parmi lesquelles

l'acajou, l'ébène, le wengé, l'iroko réputés pour leur bois d'œuvre à haute valeur commerciale. Cette flore est classifiée en termes d'étages. L'arbre le plus élevé atteint 40 mètres. C'est le premier étage. Le deuxième étage comprend les arbres de taille moyenne. Les fourrés forment le troisième étage, tandis que les herbes constituent le quatrième et dernier étage. Avec une superficie forestière couvrant 52 % du territoire national, soit 125 millions d'ha, la RDC dispose de 6 % des forêts tropicales du monde, 45 % des forêts tropicales africaines et 68 % du bassin forestier du Congo. La flore congolaise s'étend des forêts marécageuses aux forêts claires en passant par des forêts denses humides, des forêts denses sèches, des forêts de montagnes et des savanes. Elle est constituée de 377 familles dont 216 composées de la flore terrestre et 107 de la flore aquatique, comme la forêt des mangroves à l'embouchure du fleuve Congo. Pour préserver ce patrimoine, le Président Joseph Kabila a promulgué en 2002 le Code forestier qui évoque avec insistance l'obligation, pour la communauté internationale, de participer à la préservation de ce patrimoine.

UN PATRIMOINE CULTUREL AUX MULTIPLES FACETTES

Avec la patience propre aux sociétés qui se rient du temps, servies par un sens inné des formes et des couleurs, les multiples ethnies disséminées à travers le pays ont appris très tôt à travailler les matériaux locaux pour en faire des objets usuels, voire de véritables objets d'art. Les peuples de la forêt comme ceux de la savane, ceux des montagnes de l'est comme des plateaux du centre et du sud ont évolué suivant leurs coutumes et leurs traditions pour faire éclore un art original fondé sur les éléments de la nature environnante : le bois, l'argile, le raphia, les minéraux, etc.

Leurs créations alimentent ainsi les marchés d'art dans toutes les villes du pays, où de nombreux artistes rivalisent d'ingéniosité. Les guerres esclavagistes suivies des incursions coloniales brutales avaient sérieusement perturbé l'organisation socio-culturelle de tous ces peuples, au risque de tuer leur art.

Fort heureusement, dans le cadre de la continuité de l'État et dans la mouvance de ses prédécesseurs, le Président Joseph Kabila redynamise la politique du « recours à l'authenticité » ; lancée en 1971, celle-ci préconisait le respect des valeurs ances-

trales et encourageait toute recherche orientée vers le passé afin que la culture et l'art congolais conservent une place de choix dans le monde (comme l'atteste l'exposition « Fleuve Congo » consacrée à l'art congolais au musée du quai Branly à Paris de juin à octobre 2010).

La RDC est très connue pour la richesse de sa musique. Si la rumba congolaise traverse les frontières, l'« Indépendance cha cha » du Grand Kallé est devenu, en cette année jubilaire, l'hymne des indépendances africaines, joué et dansé lors des festivités sur tout le continent.

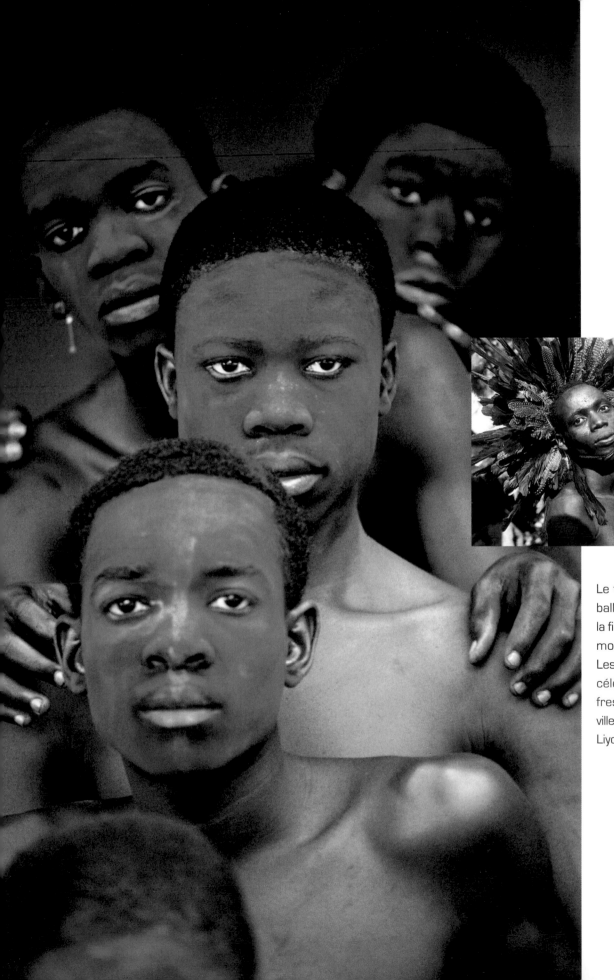

Le théâtre congolais, et en particulier le ballet national, est apprécié de tous et fait la fierté du pays lors des différents festivals mondiaux.

Les arts plastiques ont produit des noms célèbres, comme Chéri Samba dont les fresques ornent les murs de plusieurs villes à travers les continents ou le sculpteur Liyolo, maître de renommée mondiale.

UN RÉSEAU HYDROGRAPHIQUE

La République Démocratique du Congo fournit le potentiel hydroélectrique le plus important du continent africain.

Le fleuve Congo (4 700 km), en forme d'arc, s'apparente à la colonne vertébrale du pays. Forts de leurs 14 166 km navigables, le fleuve et ses affluents permettent aux personnes et aux biens de circuler à travers une nature exubérante, souvent vierge et d'une beauté sauvage. Ils constituent un moyen de communication fondamental et une source d'énergie importante. C'est à la fois toute la mémoire d'un peuple et tout son avenir.

Le Congo a des sites balnéaires (Moanda, Banana, Kitona le long de la côte atlantique), lacustres (Mukamba, Tumba, Maï-Ndombe, Ma vallée, Tanganyika, Édouard, Albert, Kivu...) et fluviaux.

D'UNE GRANDE DENSITÉ

Le majestieux fleuve Congo à Kinshasa.

La République Démocratique du Congo offre également la plus grande concentration d'eaux vives en Afrique.

La province du Katanga peut s'enorgueillir d'avoir les plus hautes chutes d'Afrique, celles de la Lofoï, qui tombent de 384 mètres de hauteur !
Quant aux rivières du plateau du Kwango, elles donnent naissance à un festival d'eaux vaporeuses : ce sont les chutes de la rivière Luye entre Popokabaka et Kikwit, les chutes en torrents sauvages de l'Inzia, les chutes de Maï Munene sur la rivière Kasaï et celles de la Lulua.

Les plus prestigieuses sont incontestablement celles d'Inga dans le Bas-Congo, qui donnent naissance au gigantesque barrage hydroélectrique du même nom.

HOMME, UN DESTIN

« *Je me permets de visualiser ce Congo de demain et vous demande de partager*
avec moi ce regard. Je vois un Congo où, chaque jour, le peuple se remet au travail,
renversant les paramètres de la pauvreté en chantier de prospérité (...). *»*

(Extrait du discours du Chef de l'État à l'occasion de son investiture le 6 décembre 2006.)

Fils de Laurent Désiré Kabila, combattant acharné de la liberté, et de Sifa Mahanya, ardente militante, Joseph Kabila Kabange et sa sœur jumelle Jaynet voient le jour le 4 juin 1971 à Mpiki, surnommé Hewa Bora, dans l'actuel Sud-Kivu.

Exilé en Tanzanie sous le régime Mobutu et inscrit à l'école française, le jeune Joseph intériorise très tôt les réflexes de survie, les valeurs de bravoure, de fidélité, de loyauté et de discipline. Appelé par son père, il prend part à la marche sur Kinshasa. Formé au métier des armes, il participe activement à la guerre de libération (1996 - 1997) qui met fin au régime Mobutu.

Quand le Chef de l'État Laurent Désiré Kabila est assassiné le 16 janvier 2001, Joseph Kabila, 29 ans, est investi Président de la République et prête serment, dix jours plus tard, soit le 26 janvier 2001.

DES RACINES, UNE FAMILLE

Dans le maquis de Hewa Bora, où il se retranche à partir de 1967 pour former des combattants capables de faire face aux troupes régulières de Mobutu, Laurent Désiré Kabila épouse Sifa Mahanya qu'il rencontre parmi les jeunes militantes. Les premiers nés de cette union sont des jumeaux : Jaynet et Joseph.

Réfugiés dans les montagnes de Fizi, les jumeaux Kabila et d'autres enfants de maquisards débutent leur scolarité à Wimbi Dira au bord du lac Tanganyika qu'ils traverseront plus tard pour rejoindre la Tanzanie. Soucieux de leur avenir et confiants en la victoire finale de la cause, les parents Kabila inscrivent leurs enfants au lycée français de Dar es Salaam, capitale de la Tanzanie anglophone. Devenu adulte, le jeune Kabila

Laurent Désiré Kabila lors de sa prise du pouvoir à Kinshasa en mai 1997.

est envoyé en formation militaire en Chine. En octobre 1996, Joseph, âgé de 25 ans, rejoint son père qui, à la tête de l'AFDL (Alliance des Forces Démocratiques pour la Libération), vient de déclencher la guerre qui finit par avoir raison du régime Mobutu. Nommé Commandant, il prend avec ses troupes Kisangani (troisième ville du pays) qui sert de verrou à l'armée de Mobutu. À la fin de la guerre, lors de la prise de la capitale Kinshasa le 17 mai 1997, il est nommé Chef d'État Major Général adjoint avant d'être chargé de réorganiser la force terrestre avec le grade de Général-major. Cette restructuration permet au jeune Général de mettre en échec une colonne armée venue du Rwanda en août 1998 pour renverser le Président Laurent Désiré Kabila.

Alors maquisard, Laurent Désiré Kabila épouse Sifa Mahanya et fonde une famille. Les jumeaux Joseph et Jaynet Kabila encadrent leurs sœurs.

Le Général-major Joseph Kabila est salué par son père Laurent Désiré Kabila.

En effet, c'est à la tête de ses troupes, en coalition avec les armées de la Namibie, du Zimbabwe et de l'Angola, qu'il remporte la victoire. Lors de cette deuxième guerre du Congo, le Général-major se bat sur différents fronts, au nord, au centre, à l'est et au sud du pays.

C'est sur le terrain qu'il apprend, le 16 janvier 2001, le lâche assassinat de son père Mzee Laurent Désiré Kabila.

Les hautes instances politiques et militaires réunies le désignent Président de la République. Il prête serment le 26 janvier 2001 devant la Cour suprême de Justice.

À cette époque, très peu d'observateurs accordent du crédit à ce Président de 29 ans.

Mais le jeune homme, aguerri à la lutte qu'il a apprise dans le maquis auprès de son père, force le respect et redonne vie à toute une Nation, grâce à la puissance de sa motivation, son ardeur au combat, sa foi en la liberté et en la grandeur du peuple congolais.

Joseph Kabila pose avec sa sœur jumelle Jaynet Kabila Kyungu et leur frère Zoé Kabila.

Pour accompagner son époux dans la recherche ardue du bien-être des populations congolaises, la Première Dame de la RDC, Olive Lembe Kabila, s'investit totalement dans les œuvres sociales, principalement l'éducation de base, l'amélioration des soins de santé et la construction de logements sociaux.

Après avoir rempli son devoir civique, le candidat Joseph Kabila est approché par la presse.

LÉGITIMER LE POUVOIR

Porté à la tête du pays par les instances politiques et militaires, Joseph Kabila annonce l'organisation des élections générales pour normaliser la vie politique nationale car, depuis l'éviction du premier Gouvernement de Patrice-Emery Lumumba élu en 1960, issu de la majorité parlementaire, le pays continue à souffrir de l'absence de légitimité du pouvoir d'État.

CHEF DE FAMILLE ET CHEF D'ÉTAT

Malgré ses lourdes charges de Chef d'État, Joseph Kabila Kabange réserve une place importante à sa vie de famille en tant qu'époux, père et chef de famille. Issu d'une grande fratrie, le Président a su mettre une barrière scrupuleuse (à l'instar de son défunt père) pour que les siens n'interfèrent pas dans les affaires publiques, ceci afin d'éviter les abus de pouvoir et les compromissions que le pays a connus par le passé. Il continue l'œuvre commencée par son père tout en traçant son propre sillon.

DISCOURS DU 26 JANVIER 2001
(EXTRAITS)

L'APPEL À LA RÉCONCILIATION

« Maintenant que les Institutions de la République me confient la Magistrature Suprême, j'accepte d'assumer cette charge avec responsabilité, fidélité, amour de la patrie, en suivant une politique d'ouverture sur l'Afrique et le monde, et en m'employant à réaliser des changements profonds dans tous les secteurs de la vie nationale.

En ce moment où tous les regards sont tournés vers la République Démocratique du Congo, en ce moment où les fils et les filles de la Nation s'interrogent sur l'avenir du pays, je tiens à souligner que nous n'avons plus droit à l'erreur. Ensemble, sans exclusion, nous devons nous armer de courage, de détermination et de l'esprit de sacrifice, pour affronter et surmonter les défis de l'heure, défis à la fois nombreux et complexes.

Parmi ces défis, je citerai en premier lieu celui de l'instauration de la paix et la consolidation de la communion nationale, face à une Nation déchirée par plus de deux ans de guerre d'agression inacceptable. Devant la Nation en péril, la Nation déchirée et meurtrie, la Nation objet et victime de toutes sortes de convoitises et de violences, j'en appelle à l'union de tous ses fils et filles, quels qu'ils soient et où qu'ils se trouvent. J'en appelle aux Forces armées, à la Police nationale, aux Forces de sécurité et à toutes forces vives pour résister et défendre le territoire national. J'en appelle également aux hommes politiques, aux Églises, aux travailleurs, aux femmes congolaises, à la jeunesse, aux pays amis et aux étrangers qui ont choisi de vivre avec nous, à participer à l'édification d'un Congo nouveau, paisible, uni et prospère, dans la communion et la réconciliation de tous. [...]

En ce moment où j'accède aux plus hautes charges de la République, je lance un appel solennel et pathétique à la jeunesse congolaise afin qu'elle se joigne à moi dans la défense des intérêts vitaux de la Nation et pour assumer notre destin. »

LA NORMALISATION DE LA VIE POLITIQUE

« En deuxième lieu, il y a le défi de la normalisation de la vie démocratique telle que le Président de la République, Mzee Laurent Désiré Kabila, l'avait lui-même proposée.

Il s'agit de renforcer l'État de droit, de consolider la démocratie et la bonne gouvernance, de garantir les Droits de l'homme et la justice, afin que toute Congolaise, tout Congolais et tout étranger accueilli sur notre sol, dans le respect de la loi, jouissent de la liberté, de l'égalité, de la dignité, de la protection de sa personne et de ses biens. Je tiens à affirmer que je consacrerai toutes mes forces à ce que ce beau et grand pays retrouve la paix et l'unité. C'est de cette façon qu'on pourra mieux préparer les échéances futures, notamment l'organisation des élections libres et transparentes sur toute l'étendue de la République Démocratique du Congo. [...]

Les problèmes politiques d'importance majeure devront trouver leur solution dans le cadre du Dialogue intercongolais. Dans cette perspective, j'invite tous les acteurs politiques ainsi que les membres de la société civile à se joindre sans réserve aux efforts de préparation en vue de la réussite de ce Dialogue, notamment la poursuite des efforts pour faire aboutir le processus de Libreville. [...] »

Il y a aussi le défi de la reconstruction nationale sur tous les plans, car il convient de poursuivre le programme et les efforts engagés par le Gouvernement de Salut Public, sous la haute direction de Mzee Laurent Désiré Kabila depuis la libération du 17 mai 1997, mais hélas ! freinés par la guerre d'agression.

Cette guerre d'agression, avec ses conséquences fâcheuses sur l'économie nationale, déjà en ruine sous la Deuxième République, a accru la misère de notre peuple.

En ce début du vingt et unième siècle, il s'agit de reconstruire un pays plus beau qu'avant, comme l'affirme notre hymne national. Et pour cela, nous avons besoin de toutes les énergies et de tous les bras. Personne n'est de trop. [...]

En appui à nos propres efforts, je demande à la communauté financière internationale de nous assister à mobiliser les ressources humaines, techniques et financières pour accélérer notre programme de reconstruction nationale. [...]

LA RELANCE DE L'ÉCONOMIE

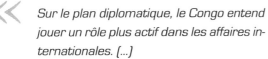 *Au plan socio-économique, mon objectif est de mobiliser toutes les forces vives de la Nation dans la production afin d'améliorer, par le travail, les conditions de vie de nos concitoyens et de pourvoir à une éducation et à des soins médicaux qualitatifs et accessibles à tous.*

En effet, l'économie congolaise est caractérisée par une forte baisse du niveau des affaires. Pour relancer cette économie, créer des richesses et ainsi combattre la pauvreté, je compte libéraliser l'activité économique : premièrement, en libéralisant les marchés des biens et services, du diamant et du change ; deuxièmement, en autorisant la libre circulation concomitante des devises étrangères et du Franc Congolais et, troisièmement, en promulguant un nouveau Code minier et celui des investissements. [...]

LA RÉHABILITATION INTERNATIONALE

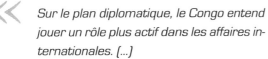 *Sur le plan diplomatique, le Congo entend jouer un rôle plus actif dans les affaires internationales. [...]*
La République Démocratique du Congo étant physiquement au centre géostratégique de l'Afrique, elle entend jouer un rôle de première importance dans le renouveau de l'Organisation panafricaine. [...]
Fidèle à la ligne de conduite de Mzee Laurent Désiré Kabila, et soucieux de préserver notre indépendance politique, j'ai pris la ferme résolution de poursuivre l'amélioration des rapports de coopération avec nos principaux partenaires de l'Union européenne. Je m'efforcerai de panser les plaies causées par certaines incompréhensions,

car je suis conscient que l'Union européenne a un rôle à jouer dans le développement du Congo. [...]
Je pense particulièrement à la France, à qui j'adresse, au nom du Peuple Congolais toute ma gratitude en raison de ses nombreux engagements au Conseil de sécurité des Nations unies dans la recherche des solutions pacifiques à la crise qui sévit dans notre pays.
J'affirme, ici, ma disponibilité et ma volonté de poursuivre l'amélioration de nos relations bilatérales multisectorielles.
Je pense aussi à la Belgique, avec laquelle la République Démocratique du Congo partage des liens historiques. Je veillerai

à développer des relations amicales de compréhension et d'entente pour une coopération plus fructueuse.
Quant aux relations avec les États-Unis d'Amérique, je voudrais affirmer, sans ambages, qu'il y a eu des moments d'incompréhension mutuelle avec l'ancienne administration. La République Démocratique du Congo entend normaliser les rapports bilatéraux avec la nouvelle administration, basés sur le respect mutuel et la volonté de progrès de nos deux peuples.
Je salue les relations fraternelles existant entre mon pays et la République Populaire de Chine, la Russie ainsi qu'avec d'autres pays d'Asie. J'entends les renforcer. [...]

Inlassable globe-trotteur, Joseph Kabila va partout dans le monde discuter et dégager des priorités de développement pour son pays à travers des partenariats justes et équitables avec la communauté internationale.

UN AVOCAT AU SERVICE DE SON PAYS

REDRESSER UN ÉTAT DÉFAILLANT

De fréquentes descentes sur le terrain, des milliers de kilomètres parcourus sur toutes les routes du pays et à l'étranger impulsent une nouvelle dynamique de « politique par la preuve » : initier – faire adhérer – assurer le suivi jusqu'à la livraison de l'ouvrage.

Le Président Joseph Kabila échange avec les habitants d'un village en Province orientale.

3

LE CHEMIN POUR

« *Je voudrais inviter les 65 millions de nos compatriotes à se joindre
à moi pour remercier le Seigneur notre Dieu de sa sollicitude particulière
à l'égard de notre pays en cette année jubilaire.
2010 a en effet été pour nous, une véritable année de grâces.
Grâce d'atteindre, envers et contre tout, le cinquantenaire de notre
indépendance dans l'unité et la paix retrouvées. (...)* »

(Extrait du Discours du Chef de l'État sur l'état de la Nation, 8 décembre 2010.)

LA PAIX

Les Présidents Isaias Afewerki (Érythrée), Yowerie Museveni (Ouganda),
Mouhamar Khadafi (Lybie), Laurent Désiré Kabila (RDC) et Idriss Déby Etno (Tchad).

Lors de son accession à la magistrature suprême le 26 janvier 2001, Joseph Kabila hérite d'un pays éclaté, d'une nation déchirée et humiliée. La guerre fait rage. Plus de la moitié du pays est occupée par les armées du Burundi, de l'Ouganda et du Rwanda ainsi que par des groupes rebelles. Les ressources naturelles du Congo sont systématiquement pillées. Cette guerre cause la mort de près de cinq millions de personnes, condamne plus de deux millions d'autres à se déplacer dans le pays et provoque l'exode de quatre cent mille hommes. En 1999, sous la Présidence de Mzee Laurent Désiré Kabila, « l'accord de Lusaka » qui porte sur le cessez-le-feu entre le Gouvernement et les forces rebelles et leurs alliés étrangers, est signé mais des foyers subsistent çà et là. Pour ramener la paix et rassembler les Congolais, le Président Joseph Kabila ne ménage aucun effort et fait d'énormes concessions. Il relance aussitôt le processus de paix par le « Dialogue intercongolais » en trois sessions étalées sur deux ans :
– Addis-Abeba en octobre 2001 ;
– Sun-City I de février à avril 2002 ;
– et Sun-City II en avril 2003.
D'Addis-Abeba à New York, de Pretoria à Bruxelles, de Libreville à Gaborone, de Washington à Paris, la communauté internationale s'implique dans le processus de restauration de la paix, de l'unité et de l'intégrité du Congo.

LES NÉGOCIATIONS DE PAIX

Ouverture des travaux du Dialogue intercongolais à Sun-City (Afrique du Sud), février 2002.

Leaders de l'opposition politique à Sun-City : A. Kisimba Ngoy, P. A. Sessanga, A. Z'ahidi Ngoma, E. Tshisekedi, J. Olenghankoy, A. Gizenga et E. Diomi Ndongala.

Le 19 avril 2002, à Sun City, la majorité des délégués signent le premier accord qui sera suivi du second le 17 décembre de la même année.

L'ONU crée la mission Monuc (mission des Nations unies au Congo) et envoie une force de 17 000 hommes pour maintenir la paix.

L'aboutissement du dialogue, en avril 2003, est précédé de la signature de l'Accord global et inclusif de Pretoria (Afrique du Sud) le 17 décembre 2002.

Déterminé à sauver le pays du chaos, Joseph Kabila met en avant l'intérêt supérieur de la communauté et accepte de partager le pouvoir avec l'ensemble des composantes et entités du Dialogue intercongolais.

Pour la première fois dans le monde, on assiste à un mode de partage de gestion du pouvoir selon la formule dite « 1 + 4 », à savoir, un Président, Joseph Kabila et quatre Vice-Présidents : Jean-Pierre Bemba du Mouvement de Libération du Congo (opposition armée), Azarias Ruberwa du Rassemblement des Congolais pour la Démocratie (opposition armée), Arthur Zahidi Ngoma de l'opposition politique non armée et Yerodia Abdoulaye Ndombasi de la composante gouvernement.

Le partage du pouvoir se fait à tous les

Échange entre le Président Joseph Kabila et Paul Kagame, Président du Rwanda en présence de M. Koffi Annan, alors Secrétaire général des Nations unies.

La structure « 1 + 4 » : le Président Joseph Kabila entouré des Vice-présidents Z'Ahidi Ngoma, J.-P. Bemba, A. Ruberwa et Yerodia A. N.

niveaux de l'État : Assemblée nationale, Sénat, Gouvernement, Gouvernorats de province, administrations locales, diplomatie, armée, police, entreprises publiques, en plus des Institutions d'appui à la démocratie présidées, elles, par la Société civile.

Parallèlement au processus de paix intérieure, le Chef de l'État congolais signe des accords de paix avec ses homologues ougandais Yowerie Museveni à Luanda, en Angola, et rwandais Paul Kagame à Pretoria, en Afrique du Sud.

Aparté entre le Président Joseph Kabila et Thabo Mbeki, Président de l'Afrique du Sud.

Avec Colin Powell, ancien Secrétaire d'État américain.

Avec Alpha Oumar Konaré, ancien Président du Mali
et de l'Union africaine.

Avec Ban Ki Moon, Secrétaire général de l'ONU.

LE PROCESSUS DE PAIX EN MARCHE

La communauté internationale met à la disposition du pays des moyens financiers et matériels considérables pour l'organisation des élections confiées à la Commission Électorale Indépendante (CEI). Le Bureau de cette commission est présidé par l'abbé Apollinaire Malu Malu, assisté par les représentants de toutes les composantes et toutes les entités signataires de l'Accord global et inclusif.

Néanmoins, ces avancées notables n'empêchent pas certains politiciens, en mal de repositionnement, de chercher à prolonger indéfiniment la transition enclenchée pourtant depuis avril 1990.

Joseph Kabila, déterminé à amener le peuple aux urnes, évite la crise de légitimité d'abord en mars 2006, en promulguant la loi électorale, ensuite en juillet de la même année, en récusant l'initiative des négociations préconisées pour suspendre la campagne électorale.

Les premières élections pluralistes peuvent enfin se dérouler.

De nombreux observateurs nationaux et internationaux dont ceux de l'Union africaine et de l'Union européenne sillonnent le pays pour attester de la régularité et de la crédibilité du scrutin. Ils donnent leur satisfecit. Le pari est gagné : le pouvoir d'État redevient légitime en République Démocratique du Congo.

Joseph Kabila prononçant son discours à la tribune de l'ONU à New York.

Élu Président de la République au suffrage universel direct.

L'ÉLECTION DU PRÉSIDENT

Quarante-six ans après son accession à l'indépendance, le pays a, pour la première fois de son existence, un Président de la République élu au suffrage universel direct lors d'une élection pluraliste.

Joseph Kabila Kabange prête serment le 6 décembre 2006.

C'est le début d'une nouvelle ère pour ce grand pays au cœur du continent africain.

Après l'installation de l'Assemblée nationale et du Sénat, le Gouvernement est investi le 28 février 2007 avec à sa tête M. Antoine Gizenga.

LES INSTITUTIONS LÉGITIMES

L'installation effective des institutions issues des accords de Sun-City a le grand mérite de détendre l'atmosphère politique et permet au peuple congolais de croire en un avenir commun radieux.

Les débats politiques se font au sein des institutions représentatives : l'Assemblée nationale, le Sénat et les Assemblées provinciales.

Le Gouvernement est constitué sur la base des accords fondateurs de la Majorité parlementaire.

Les réformes essentielles sont aussitôt engagées ; elles visent notamment l'Administration publique, la Justice, l'Armée, la Police, les Services de sécurité, les entreprises publiques ...

Outre le Gouvernement, une Assemblée nationale et un Sénat sont mis en place.

Bien qu'initiateur du PPRD (Parti du Peuple pour la Reconstruction et la Démocratie) qui recueille le plus grand nombre de députés et de sénateurs, le Président Kabila signe des accords avec d'autres partis afin de dégager une majorité la plus large possible.

Par ailleurs, la formation du Gouvernement est confiée au PALU (Parti Lumumbiste Unifié) du patriarche Antoine Gizenga Fundji, défenseur acharné de l'indépendance et de la souveraineté du Congo. Toujours dans le souci de consolider l'unité nationale et pour amener tous les Congolais

à participer à l'effort de redressement du pays, le poste de Vice-Premier Ministre est attribué à Joseph Mobutu Nzanga de l'UDEMO (l'Union des Démocrates Mobutistes), dans le cadre des accords avec l'AMP (Alliance de la Majorité Présidentielle).

Les parlementaires (députés et sénateurs) exercent pleinement leurs droits et devoirs. Aussi des débats houleux ont lieu dans les deux hémicycles. Le gouvernement, bien qu'issu de la majorité, y est souvent entendu suivant les mécanismes constitutionnels prévus dans le cadre des moyens d'information et de contrôle de l'Assemblée nationale ou du Sénat. L'une ou l'autre chambre peut utiliser notamment la question orale ou écrite avec ou sans débat non suivi de vote, la question d'actualité, l'interpellation, la commission d'enquête et l'audition par les commissions.

La démocratie n'est plus un vain mot en République Démocratique du Congo. Le Chef de l'État, qui assure par son arbitrage le fonctionnement régulier des pou-

voirs publics et des institutions ainsi que la continuité de l'État, prononce un discours sur l'état de la Nation une fois l'an devant l'Assemblée nationale et Sénat réunis en congrès.

Les parlementaires ont l'obligation, durant leurs vacances, de se rendre dans leurs circonscriptions afin de présenter des rapports détaillés sur la situation sociale des populations.

Sur le plan international, de nombreux échanges ont lieu entre les parlementaires congolais et leurs homologues étrangers. Kinshasa voit ainsi arriver diverses personnalités qui viennent s'enquérir du dynamisme des activités parlementaires.

La Constitution congolaise, elle, consacre la séparation des pouvoirs exécutif, législatif et judiciaire.

Le Conseil Supérieur de la Magistrature (CSM) regroupe tout le corps judiciaire de la République. Les magistrats sont nommés par ordonnance présidentielle sur proposition du CSM.

Les cours et tribunaux fonctionnent à présent sur tout le territoire.

RASSEMBLER

Le 26 janvier 2001, à son accession à la magistrature suprême, Joseph Kabila appelle déjà à l'union de tous les Congolais pour assumer ensemble leur destin commun. « *Je vais m'inscrire résolument dans une politique de régénération et de mobilisation des énergies, visant à impliquer tous les Congolais dans l'exaltante tâche de construction de notre devenir collectif, en mettant un accent particulier sur le rôle de la jeunesse et du potentiel féminin. [...] L'enjeu du développement, auquel nous faisons désormais face, dépasse de loin les conflits partisans et les intérêts politiciens personnels* », dit-il. Le 6 décembre 2006, il les invite à partager le même regard sur le Congo en ces termes :

« *Je me permets de visualiser ce Congo de demain et vous demande de partager avec moi ce regard. Je vois un Congo où, chaque jour, le peuple se remet au travail, renversant les paramètres de la pauvreté en chantier de prospérité.* »

Le Chef de l'État recommande au peuple congolais une révolution des mentalités et une mobilisation générale de leur génie créateur parce que, dit-il, « *l'émergence d'un Congo nouveau, fort et prospère, se construira dans l'amour du travail bien fait, la discipline individuelle et collective ainsi que la solidarité de tous pour la création du bien-être collectif.* »

En dépit des élections de 2006 dont l'organisation est félicitée par tous les observateurs internes et externes, le pays replonge dans la guerre au Nord-Kivu par la volonté de quelques fils réfractaires à la vie démocratique. Pèlerin infatigable de la paix, le Président Joseph Kabila initie en janvier 2008 la Conférence sur la Paix, la Sécurité et le Développement au Nord-Kivu et au Sud-Kivu qui aboutit à la signature des Actes d'Engagement impliquant le Gouvernement de la République, les groupes armés de deux provinces kivutiennes, les élus nationaux et locaux, les témoins nationaux et les facilitateurs internationaux. Parallèlement à cette conférence, il s'engage avec détermination dans le processus de Nairobi visant le rétablissement de la paix dans la sous-région, par le canal de la Conférence internationale sur la Paix, la Sécurité et la Démocratie dans les Grands Lacs. « *Dans les tractations actuelles pour le retour d'une paix durable, une seule préoccupation anime le Gouvernement. Il s'agit du sort et du bien-être de nos populations, étant entendu que, dans un espace où se trouve une mosaïque de communautés, entretenir la paix et la réconciliation est un facteur de rétablissement de confiance et d'intégration sociale* », dit le Président de la République dans son discours sur l'État de la Nation du 13 décembre 2008. Il faut remonter au discours du 6 décembre 2007 pour réaliser sa foi dans la solution négociée à la voie armée : « *... tout en maintenant la pression militaire, nous n'avons pas négligé l'aspect politique et diplomatique. L'histoire a en effet abondamment démontré que même en cas de victoire militaire, la consolidation de la paix se fait toujours autour d'une table* », déclare-t-il.

LE PEUPLE CONGOLAIS

Le Président Joseph Kabila et les jeunes magistrats.

DROITS DE L'HOMME ET JUSTICE

Dans son discours du 30 juin 2010, le Président Joseph Kabila fait preuve de courage et d'honnêteté : il reconnaît que les Droits de l'homme et le Développement sont les points faibles des 50 ans de l'Indépendance.

Par pragmatisme, on ne peut, dans le cas de la RDC, parler Droits de l'homme sans prendre en compte la donne « pays post-conflit », donc la donne « pays récemment en conflit ».

Le conflit n'est pas uniquement armé. Il est aussi politique, économique, social ou culturel. En 50 ans d'Indépendance, le Congo n'est allé que de conflits en conflits. Par moments, tous les conflits se sont même entremêlés, si bien que malgré la noblesse du concept, les Droits de l'homme sont devenus une arme politique redoutable.

Dans la Constitution, cinquante-sept articles sont consacrés aux Droits de l'homme, aux libertés fondamentales ainsi qu'aux devoirs du citoyen et de l'État.

Le Gouvernement, sous l'autorité morale de Joseph Kabila, institue une plate-forme de concertation permanente avec les activistes des Droits de l'homme.

C'est l'une des approches adoptées en vue, surtout, de dépolitiser les ONG dans l'objectif de les ramener à leur concept originel. Joseph Kabila veut une justice équitable ; il affiche ouvertement sa détermination à redresser et à assainir ce secteur afin de valoriser la fonction de dire le droit incarné par le magistrat, comme celle de promouvoir l'indépendance du pouvoir judiciaire.

La sécurité juridique et judiciaire est un besoin et un droit pour chacun. Elle est un critère déterminant de la qualité du climat des affaires, une condition essentielle de la croissance économique et du développement.

Il s'exprime clairement dans son discours sur l'état de la Nation du 8 décembre 2010 en déclarant :

« S'agissant de la distribution de la justice, quelques avancées ont été enregistrées, avec notamment l'interpellation, voire la condamnation à des lourdes peines privatives de liberté, de certaines personnes en vue. Force est cependant de constater que, dans l'ensemble, le bilan demeure largement en deçà des attentes. Cela est inacceptable. »

C'est dans cette optique qu'il demande aux deux Chambres du Conseil supérieur de la Magistrature d'exercer effectivement leur pouvoir disciplinaire et au Parlement de mener à terme le processus législatif de disciplinarisation et de prise à partie des magistrats.

UNE PRESSE LIBRE

La RDC est à ce jour l'un des pays du monde où les libertés de la presse et de l'information s'exercent à grande échelle, qu'il s'agisse de la presse écrite, de la radio ou de la télévision. En effet, depuis l'avènement de Joseph Kabila à la tête de l'État, il n'y a pas moins d'une centaine de chaînes de radio et de télévision en pleine activité, et pas moins d'une cinquantaine de journaux publiés dans le pays. Tous ces médias, qu'ils soient neutres, de l'Opposition politique ou acquis à la Majorité, s'expriment librement, quelquefois avec des dérapages.

Le Président de la République et le Gouvernement rappellent bien souvent aux journalistes leur responsabilité quant au respect de la déontologie et de l'éthique dans l'exercice de leur noble métier.

Il faut noter le remarquable travail d'assainissement qu'effectuent l'Union nationale de la presse du Congo (UNPC) et l'Observatoire des médias congolais (OMEC) qui, parfois, prennent des sanctions à l'encontre des journalistes ou médias pour des violations avérées de la loi sur la liberté de la presse. L'article 24 de la Constitution dispose que

« *Toute personne a droit à l'information* ». Ce droit requiert la présence physique des médias, des professionnels des médias et des textes légaux appropriés. L'alinéa 2 de cet article stipule que « *La liberté de presse, la liberté d'information et d'émission par la radio et la télévision, la presse écrite ou tout autre moyen de communication sont garanties sous réserve de respect de l'ordre public, des bonnes mœurs et des droits d'autrui* ». À l'alinéa 3, il est clairement établi que « *La loi fixe les modalités d'exercice de ces libertés* ».

LA PLACE DE LA FEMME

« *La femme africaine est le foyer ; elle doit être une aiguille pour rapprocher et coudre ensemble les différents membres de la famille.* » Cette phrase est extraite de l'exposé sur la problématique du Genre en RDC. Elle résume la place prépondérante de la femme dans la gestion de la vie quotidienne. La femme congolaise, de tout temps, est une battante. Au champ comme au bureau, à l'usine comme à l'hôpital, au marché comme à l'armée, elle joue parfaitement son rôle.

Longtemps otage des coutumes rétrogrades, elle mène deux combats à la fois : se libérer de cette discrimination sociologique et se rapprocher de l'homme. Il va sans dire que devant une revendication aussi fondée, elle a droit à la protection des Pouvoirs publics. C'est ainsi que dans

la Constitution, l'article 14 dispose que « *Les pouvoirs publics veillent à l'élimination de toute forme de discrimination à l'égard de la femme et assurent la protection et la promotion de ses droits* ».

Le Président Joseph Kabila est cité parmi les grands promoteurs du Genre en RDC. Son propre cabinet en est l'illustration, avec des femmes parmi ses proches collaborateurs. Il en est de même dans l'administration publique, principalement dans la territoriale, la diplomatie, la justice, l'armée, la police, les entreprises publiques, etc. Il y a cependant mieux : l'encouragement à la scolarisation des filles. En faisant appliquer notamment l'article 43 consacrant la gratuité dans l'enseignement élémentaire, le Chef de l'État exhorte donc les parents, surtout ceux des milieux ruraux ou ceux n'ayant

pas assez de revenus, à envoyer leurs filles à l'école.

Malgré ces avancées, le constat interpelle : la parité « hommes-femmes » est encore loin d'être effective. Aussi, le Chef de l'État ne cesse-t-il de s'investir pour plus d'implication de la femme dans le processus de prise de décision. C'est pour lui « *Un autre grand défi que nous avons l'obligation de relever, à la faveur des prochaines élections… ».* Justement à ce propos, il ajoute : « *Faisons donc tous, de 2011, un test d'authenticité, s'agissant de la parité. Cessons d'en parler, juste pour nous donner bonne conscience ; ou d'évoquer mille prétextes, pour en retarder l'échéance* ». (Extrait du discours sur l'état de la Nation du 8 décembre 2010.) L'objectif premier est de placer aux côtés de l'homme capable la femme compétente.

ʼHOMMAGE AUX PRÉDÉCESSEUR

Jamais dans l'histoire du Congo, Chef d'État ne rend aux Pionniers et aux Pères de l'Indépendance des hommages aussi mérités que ceux présentés par le Président Joseph Kabila dans le cadre des festivités du Cinquantenaire de l'Indépendance. D'abord le 30 juin 2010, dans son discours de circonstance prononcé Place du Palais du Peuple, il soutient que tout anniversaire de naissance est « *aussi un motif de reconnaissance* ». Dans cet esprit, après avoir rendu hommage « *d'abord et avant tout au Dieu Tout-Puissant, pour le don précieux qu'il nous a fait de ce beau pays* » et au peuple congolais qui, « *de génération en génération, [...] s'est battu pour maintenir l'unité et l'intégrité du pays, triomphant des forces centrifuges et faisant échec à toutes les convoitises* », il étend ce devoir de reconnaissance :

– à Simon Kimbangu, « *le premier des nôtres qui osa proclamer et prédire la fin de la colonisation* »,

– à Joseph Malula, Joseph Ngalula et Joseph Ileo ainsi qu'à leurs amis, « *pour avoir éveillé la conscience de nos élites, par leur Manifeste de 1956, jetant les bases des premières revendications de décolonisation* »,

– aux Pères de l'Indépendance Patrice Emery Lumumba, Joseph Kasa-Vubu, Albert Kalonji, Jean Bolikango, Cléophas Kamitatu, Paul Bolia ainsi que tous leurs compagnons de lutte, « *pour avoir allumé le flambeau de la liberté ; mais aussi, pour avoir assumé, à travers les deux premiers cités, la lourde responsabilité de conduire nos premiers pas comme État Indépendant, dans un contexte globalement difficile* »,

– à Joseph-Désiré Mobutu, ce « *militant passionné de notre authenticité et de notre unité* »,

– et à Mzee Laurent Désiré Kabila, le « *défenseur acharné de la dignité du Congo et de son peuple, et combattant, jusqu'au sacrifice suprême, de la liberté et pour la démocratie* ».

Le deuxième jour, soit le 1er juillet, le Président Joseph Kabila, au Palais de la Nation, élève au grade de Grand Cordon de l'Ordre national « Héros nationaux Kabila-Lumumba » le prophète Simon Kimbangu et le cardinal Joseph Malula. Sont également décorés et élevés au même grade MM. Antoine Gizenga Fundji, Justin Marie Bomboko, Christophe Gbenye et Marcel Bisukiro en tant que survivants du premier Gouvernement congolais, celui dirigé par Patrice Emery Lumumba.

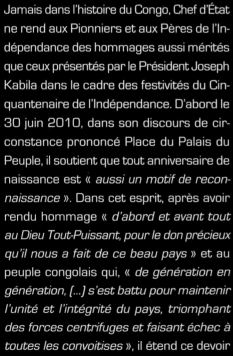

La consolidation de la paix et la restauration de l'État de droit requièrent la formation d'une nouvelle armée républicaine capable de défendre l'intégrité du territoire national. Elles exigent aussi la mise sur pied et la formation d'une police nationale à même d'assurer la protection des personnes et de leurs biens dans le respect des lois de la République.

Le budget pour la formation et l'équipement de ces deux corps de l'État est voté par le Parlement.

UNE ARMÉE FORTE

Les Forces Armées de la République Démocratique du Congo sont issues de l'Accord global et inclusif signé le 17 décembre 2002 à Pretoria et prévoyant l'intégration des branches armées des composantes et des entités belligérantes. Outre les forces gouvernementales, la nouvelle armée est constituée, au départ, de cinq groupes

ET DISCIPLINÉE

armés signataires dudit accord avant de procéder, en janvier 2008, à l'intégration d'une vingtaine d'autres groupes, signataires des Actes d'Engagement de la Conférence de Goma. Les FARDC sont composées d'une trentaine de structures si l'on ajoute les ex-Faz, les ex-gendarmes katangais, les Kadogos, etc.

Une politique ambitieuse d'intégration des membres des anciens groupes rebelles est mise en place, tout comme l'est celle de la réinsertion dans la vie civile de ceux qui ont décidé de déposer les armes.

L'armée congolaise devient réellement représentative des différentes couches sociales et géographiques du pays. Les femmes qui n'ont pas hésité à se retrouver en première ligne lors des combats défendent avec honneur et dignité les couleurs de la République.

La première tâche confiée à la jeune armée est d'éradiquer les foyers qui sèment encore l'insécurité, installés dans la forêt montagneuse de l'est du pays et qui parfois s'allient aux groupes armés étrangers. La mission est difficile car le combat qui s'y déroule dépasse le cadre politique. Si certains groupes armés et leurs commanditaires continuent de se créer et de se maintenir dans quelques territoires, c'est principalement pour poursuivre le pillage des nombreuses richesses minières (coltan, or, diamant, niobium, etc.)

et ressources animales (gorilles de montagne) qu'ils y trouvent.

Mais petit à petit, inexorablement, avec l'appui de la population et des partenaires extérieurs, les Forces Armées de la République Démocratique du Congo, « ... *une jeune armée à peine formée mais quotidiennement testée...* », comme le dit le Chef de l'État, gagnent du terrain, imposent l'autorité de l'État et rétablissent la quiétude au sein des populations.

Les accords du Dialogue intercongolais de Sun-City en Afrique du Sud recommandaient aux différentes composantes le regroupement de toutes les troupes et leur intégration au sein des forces armées nationales. Cependant, l'embargo sur l'achat des armes, décrété par les Nations unies depuis 1991,

rend difficile la mission des FARDC qui se doivent de ramener la paix, sécuriser les populations et assurer l'intégrité du territoire. Néanmoins, sous l'impulsion du Président de la République, le gouvernement soutient les FARDC en leur assurant des moyens de formation et des équipements modernes.

PRÉSENCE DE L'ÉTAT À

La restauration de l'autorité de l'État sur l'ensemble du pays est devenue une réalité. La pyramide du pouvoir s'exerce de nouveau de façon harmonieuse, des autorités nationales aux autorités provinciales et locales. Pour témoigner de l'unité de commandement rétablie, le Chef de l'État est accueilli dans ses déplacements à l'intérieur du pays aussi

bien par des gouverneurs de provinces que des maires ou des administrateurs de territoire (comme ici à Kananga, chef-lieu de la province du Kasaï occidental, où le Président de la République prend un bain de foule avec le gouverneur Trésor Kapuku et Mme la Maire Antoinette Kapinga Tshibuyi).

T O U S   L E S   N I V E A U X

Le Président Joseph Kabila Kabange reconnaît la place de l'Autorité coutumière dans l'existence du Congo en tant qu'État et Nation.

Il faut noter que les traités successifs de protectorat qui ont concouru à la création de l'État indépendant du Congo (EIC) ont été signés entre, d'une part, les mandataires du roi Léopold II de Belgique et, d'autre part, les empereurs, les rois et les chefs investis de l'Autorité coutumière. Depuis toujours, l'Autorité coutumière accompagne le Pouvoir d'État dans l'exercice de ses prérogatives régaliennes.

Pourtant, avant l'avènement du Président Kabila, l'Autorité coutumière est confinée dans un rôle de figuration protocolaire (accueil, réjouissances populaires, etc.).

Aujourd'hui, le Chef de l'État crée une véritable révolution en faisant de chaque chef coutumier un acteur de la paix et un agent du développement. Aussi, pour prouver sa détermination, le Président Joseph Kabila annonce-t-il la tenue de la Conférence nationale de l'Autorité coutumière peu avant de quitter Mbuji-Mayi le 29 août 2010.

Sur cette photo, on le voit échanger avec les chefs coutumiers du Kasaï oriental, qu'il a personnellement invités en sa résidence de Mbuji-Mayi. C'est à cette occasion qu'il leur réserve la primeur de l'annonce de ces assises, les premières depuis la Conférence internationale de Berlin en 1885.

LE PRÉSIDENT À L'ÉCOUTE DU PEUPLE

Artisan de la paix, Joseph Kabila est au cœur d'incessants bains de foule lors de ses déplacements à l'intérieur du pays. L'homme apprécie cependant le contact direct, et le plus souvent en aparté avec des citoyens ordinaires, les véritables « voix des sans voix ». Il est fréquent de le voir s'arrêter dans un village de quelques maisons, puis descendre de son véhicule pour s'entretenir avec un paysan ou une maraîchère ébahi(e) de se retrouver devant son Président.

À Kinshasa, que de fois ne surprend-il pas les marchands postés aux abords de la ville en leur achetant quelques produits. Lors de ses fréquents voyages à l'intérieur du pays, le Chef de l'État se préoccupe du vécu quotidien des populations et plus particulièrement de la situation des victimes de violences et d'exactions. Les femmes et les enfants sont les plus grandes victimes des guerres successives du Congo ; des dizaines de milliers de jeunes filles mineures et de femmes de tout âge sont l'objet d'agressions sexuelles. Le nombre d'orphelins connaît une croissance exponentielle par la volonté des groupes armés et chefs rebelles réfractaires à toute solution de paix négociée. Le Président Joseph Kabila s'implique personnellement dans l'éradication de ce phénomène en vue de faciliter la réintégration des victimes dans la société. Dans sa croisade, il jouit pleinement du soutien des intéressées.

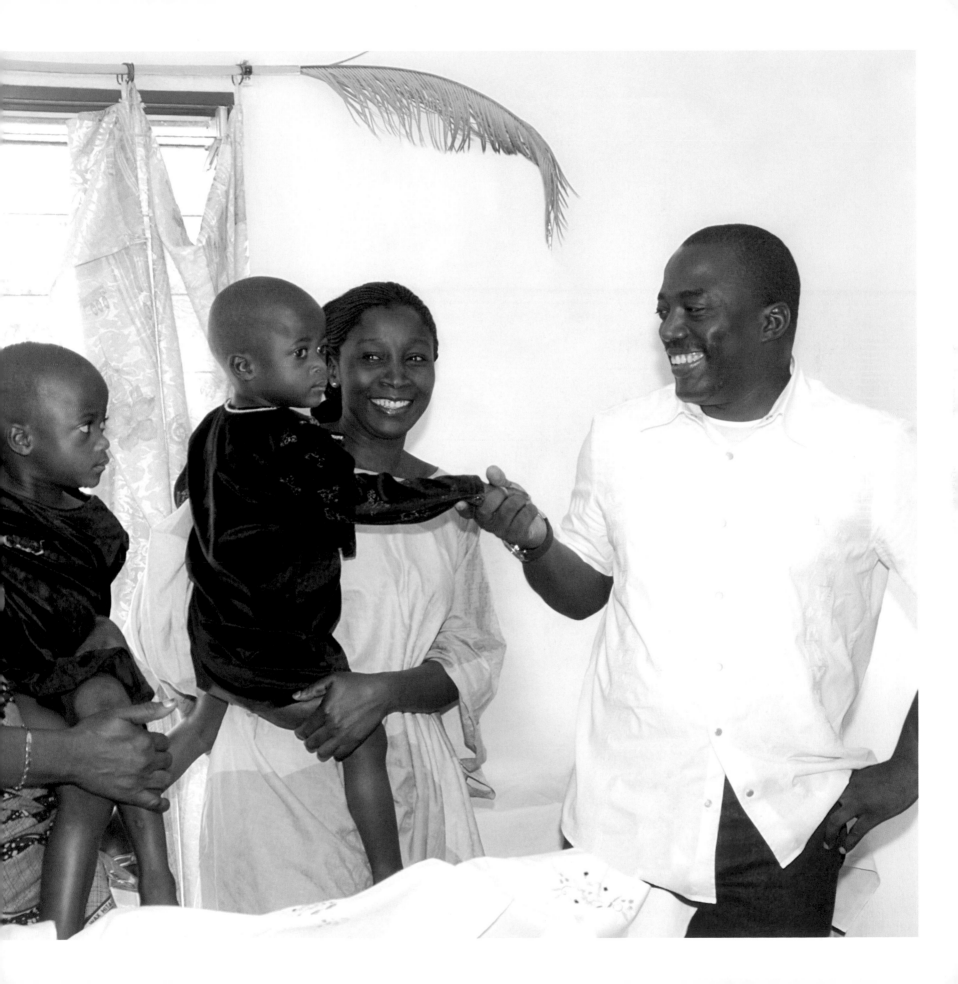

LA RENAISSANCE DU CULTE

Victoire des Léopards le 8 avril 2009 en Côte d'Ivoire.

DE L'EXCELLENCE

Équipe nationale de football, les « Léopards » redonnent le sourire aux Congolais en remportant en Côte d'Ivoire, le 8 mars 2009 – Journée mondiale de la Femme – la première compétition de la Chan (Coupe d'Afrique des Nations réservée aux joueurs qui jouent dans des clubs africains). Cette victoire est saluée comme il se doit, la dernière remontant à 1974.

Enchanté par ce succès symbolique et sportif, le Président Joseph Kabila récompense chaque joueur et chaque accompagnateur en les décorant de la médaille d'or du Mérite sportif.

Le 7 novembre de cette même année, le Tout-puissant Mazembe remporte, en présence du Chef de l'État, la Coupe d'Afrique des Clubs champions, exploit qu'il va réédi-

ter le 13 novembre 2010 à Tunis. Aussi, le 7 décembre 2009, dans son discours sur l'état de la Nation, le Chef de l'État trouve-t-il dans cette série de victoires *« la preuve que, quelles que soient les difficultés, quand les Congolais s'unissent, redressent le front et font preuve de détermination, ils sont capables de déplacer des montagnes ».* Ces victoires, poursuit-il, *« sont un signal fort que tout un peuple adresse au monde pour lui signifier qu'envers et contre tout, il croit en son destin et refuse d'être effacé de l'histoire »,* avant d'en tirer la conclusion suivante *« c'est cela qui conforte ma conviction que, dans la dure bataille pour la reconstruction du Congo, la victoire est à notre portée, pour peu que l'on adopte la culture de l'excellence dans tous les domaines de la vie nationale ».*

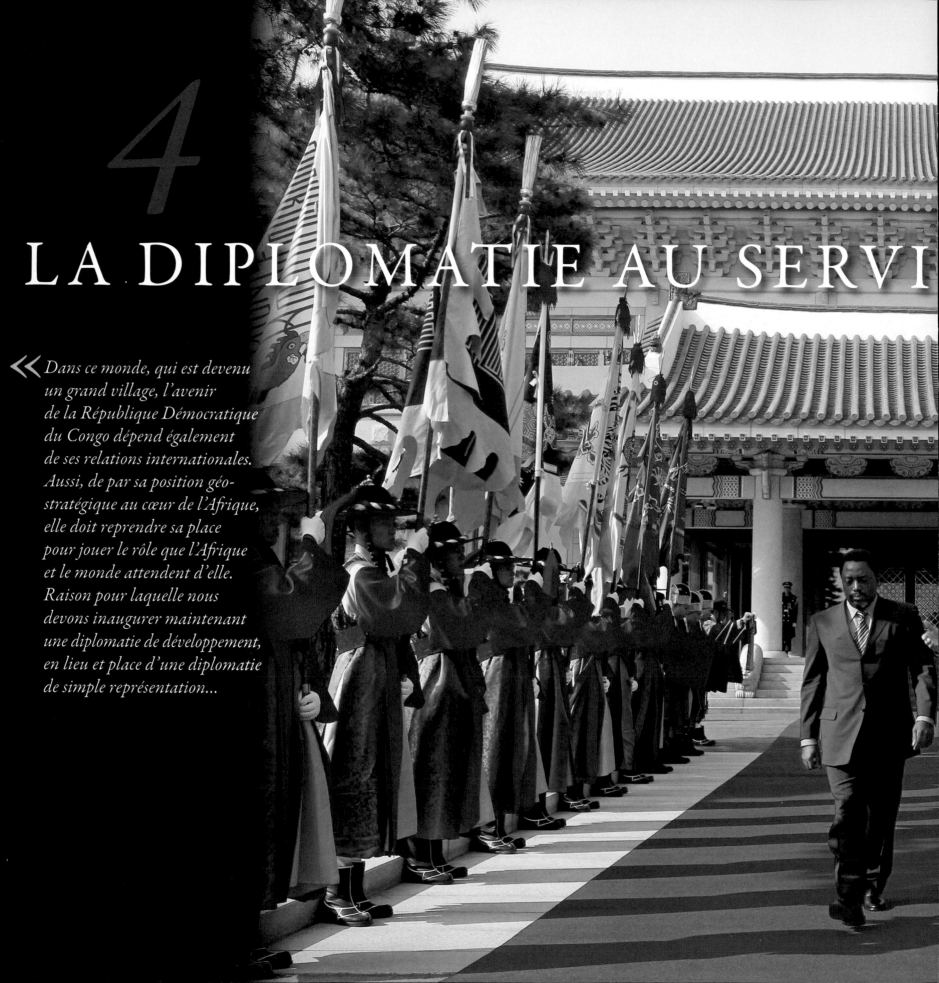

4
LA DIPLOMATIE AU SERVI

« *Dans ce monde, qui est devenu un grand village, l'avenir de la République Démocratique du Congo dépend également de ses relations internationales. Aussi, de par sa position géo-stratégique au cœur de l'Afrique, elle doit reprendre sa place pour jouer le rôle que l'Afrique et le monde attendent d'elle. Raison pour laquelle nous devons inaugurer maintenant une diplomatie de développement, en lieu et place d'une diplomatie de simple représentation...*

CE DU DÉVELOPPEMENT

Je réitère ici mon engagement
de privilégier les relations de bon
voisinage et de cohabitation
pacifique entre notre pays
et les États qui l'entourent,
et de renforcer la politique
d'intégration régionale et sous-
régionale dans le respect mutuel. »

(Extrait du discours d'investiture
du 6 décembre 2006.)

UN PRÉSIDENT À

L'ÉCOUTE DU MONDE

Joseph Kabila accède au pouvoir le 26 janvier 2001 à la tête d'un pays en guerre où pas moins de neuf armées étrangères s'affrontent, les unes aux côtés des forces gouvernementales, les autres aux côtés des forces rebelles.

Il se fixe comme objectif premier de faire du Congo un des acteurs majeurs des relations internationales. De ce fait, il effectue plusieurs voyages tant en Afrique que dans le reste du monde.

Aujourd'hui, la RDC a des relations privilégiées avec des partenaires bilatéraux et multilatéraux dans le monde entier.

« *Le Congo de demain, je le vois porter les espérances d'une Afrique renaissante, à l'aube de ce siècle au grand défi.* » (Extrait du discours d'investiture du 6 décembre 2006.)

Le Président de la République prône une diplomatie de développement. Conscient de la position géographique de son pays, oubliant les conflits anciens et récents avec certains voisins, il tend la main à ces derniers, s'attache à une politique de bon voisinage et choisit le chemin de la paix.

À son avènement à la magistrature suprême en janvier 2001, le Président Joseph Kabila prend l'engagement de se rendre partout où se négocie la paix pour son pays, la RDC. En Afrique centrale, deux chefs d'État y jouent alors un rôle important : Omar Bongo du Gabon (décédé en 2009) et Denis Sassou N'Guesso du Congo-Brazzaville.

Soucieux de l'épanouissement du Continent, Joseph Kabila propose Libreville pour abriter un Bureau de l'ONU pour l'Afrique centrale. « *Ce Bureau favorisera certainement une plus grande proximité et une meilleure coordination entre les Nations unies et les pays de la région. Les questions de paix, de sécurité, d'aide humanitaire et de développement seront ainsi examinées avec des délais plus courts. Elles connaîtront l'urgence qu'elles méritent dans l'application des mesures adoptées* », déclare-t-il dans son discours du 23 septembre 2010 à la 65e session ordinaire de l'Assemblée générale de l'ONU avant d'ajouter : « *Il nous incombe de consolider la paix partout au moyen des mécanismes et des instruments internationaux et régionaux de maintien, de prévention et de règlement des conflits.* »

Avec le Président Omar Bongo à Libreville.

Le Président Joseph Kabila en compagnie de ses homologues
Ali Bongo, Denis Sassou N'Guesso et Idriss Deby Etno.

L'AFRIQUE RETROUVÉE

Avec le Président de l'Angola Eduardo Dos Santos à Luanda.

Avec le Président Denis Sassou N'Guesso, Joseph Kabila consolide les relations séculaires entre les deux Congo, deux États ayant au demeurant les capitales les plus proches du monde : Kinshasa et Brazzaville.

Cette politique de bon voisinage, le Président Joseph Kabila la promeut avec l'Angola, la Zambie, la Tanzanie, le Burundi, le Rwanda, l'Ouganda, le Soudan et la République centrafricaine. Chaque année pratiquement,

quand il ne se déplace pas personnellement dans ces pays, il reçoit au moins ses homologues en terre congolaise, en dehors des rencontres dans des assises régionales, sous-régionales, africaines ou mondiales

Sommet de la SADC à Kinshasa.

La RDC actionne les mécanismes pour la relance de la Communauté économique des Pays des Grands Lacs (CEPGL) qui regroupe trois pays limitrophes ex-colonies belges, en l'occurrence la RDC, le Burundi et le Rwanda, pour une exploitation commune des ressources telles que le gaz méthane dont regorge le lac Kivu, frontalier entre la RDC et le Rwanda ou le pétrole du lac Albert, entre la RDC et l'Ouganda.

Immense pays au cœur du continent, la République Démocratique du Congo est aussi membre actif de la Communauté économique des États d'Afrique centrale (CEEAC), de la Communauté de développement de l'Afrique australe (SADC) et du marché commun de l'Afrique orientale et australe (COMESA).

Le Chef de l'État congolais a exercé la présidence rotative des deux premières organisations citées (pour la CEEAC de 2007 à 2009 et pour la SADC de 2009 à 2010).

En visite en Egypte, il échange
avec Président Hosni Moubarak.

Mouammar Kadhafi, leader lybien.

UN HOMME DE DIALOGUE

L'ambassadeur du Bénin.

Le Président Joseph Kabila considère l'Afrique comme un bloc qui doit rester solidaire afin de gagner le combat du développement.

Du Roi du Maroc Mohammed VI au Président d'Égypte Hosni Moubarak, des Présidents

Pierre Nkurunziza, Président du Burundi.

Abdelaziz Bouteflika d'Algérie, Zinedine Ben Ali de Tunisie au leader Libyen Mouammar Khaddafi, il n'hésite pas à recevoir ses homologues ou à être reçu par eux. Près d'une cinquantaine de pays de tous les continents ont des ambassadeurs accrédités auprès de la RDC. L'Organisation internationale de la Francophonie (OIF) vient de désigner Kinshasa pour abriter le XIVe

Jacob Zuma, Président d'Afrique du Sud.

Sommet des Chefs d'État et de gouvernement en 2012, preuve de l'importance que ne cesse de prendre le pays.

Déjà, en décembre 2010, la capitale congolaise a abrité la vingtième assemblée parlementaire paritaire ACP-UE.

LE CONGO SUR

Manmohan Singh, Premier ministre indien.

LA SCÈNE INTERNATIONALE

« *Sous ma conduite, la République Démocratique du Congo va revitaliser sa coopération et son partenariat avec la communauté internationale qui doivent être fondés sur l'identification d'intérêts communs et la mise en œuvre commune des priorités de développement.*» (Extrait du discours d'investiture du 6 décembre 2006.)

Autant que les rapports bilatéraux, les rapports multilatéraux avec les organisations communautaires internationales comme l'ONU, l'Union européenne, etc. sont harmonisés. Cela permet de consolider la coopération structurelle relancée à l'avènement au pouvoir du Président Joseph Kabila en

2001, grâce aux présences conjuguées du système des Nations unies (en sus de celle de la Monuc devenue Monusco depuis le 1er juillet 2010) et des structures spécialisées dans les domaines des réformes monétaires, financières et économiques (Fonds monétaire international, Banque mondiale, Banque africaine de développement...) et des structures spécialisées dans des réformes sécuritaires et judiciaires (Eusec, Eupol, Africom, etc.). Tout ce déploiement diplomatique a pour objectif premier de rendre la RDC fréquentable, car c'est la condition *sine qua non* pour valoriser les opportunités d'investissements publics et privés.

Kofi Annan.

Avec le Roi des Belges Albert II.

Avec la Gouvernante générale du Canada, Michaëlle Jean.

Avec le Président de la Turquie, Abdullah Gül.

Kinshasa, la capitale congolaise, est re-
devenue fréquentable. Chefs d'État et de
gouvernement, diplomates et investisseurs s'y succèdent. L'activité y déborde.
La RDC reprend sa place dans le concert
des Nations.

LA FRANCE À L'ÉCOUTE DU CONG

La France se trouve aux côtés de la RDC dans plusieurs secteurs.
Joseph Kabila et Nicolas Sarkozy, comme leurs prédécesseurs respectifs, ont des contacts permanents. Les deux Présidents se rendent visite.

Le Président Nicolas Sarkosy rend les honneurs au drapeau congolais.

Cinquante ans après l'Indépendance, le Président Kabila veut que son pays soit au plan diplomatique un acteur du développement. Outre les partenaires traditionnels, la RDC ouvre largement son marché aux pays émergents. La Chine et d'autres pays du continent asiatique deviennent des partenaires de choix dans le cadre de la nouvelle politique « gagnant-gagnant ».

La Corée du Sud, pour un milliard et demi de dollars américains, construit le port en eaux profondes à Banana. Avec un autre financement, ce pays entend participer également à la réhabilitation du barrage hydroélectrique d'Inga II dans la province du Bas-Congo.

Le Japon s'implique dans la modernisation de la voirie urbaine de Kinshasa et le programme de traitement et de production d'eau potable pour le compte de la Régideso. Il soutient également la formation professionnelle.

L'Inde finance la construction du barrage hydroélectrique de Katende destiné à desservir les provinces du Kasaï occidental et du Kasaï oriental en plus de celui de Kakobola dans la province du Bandundu.

La communauté libanaise et la communauté indo-pakistanaise participent activement au boom immobilier observé principalement dans la capitale.

L'Union européenne finance la réhabilitation et la modernisation des réseaux d'eau potable dans les centres urbains, la construction des routes, dont les routes nationales et la voirie urbaine de Kinshasa, ainsi que la formation de la nouvelle police scientifique et de l'armée.

La Chine s'implique dans la réalisation des Cinq Chantiers : un contrat d'une valeur de six milliards de dollars américains a été signé avec la RDC. En échange des ressources minières du patrimoine de la Gécamines au Katanga, la Chine construit des routes, ponts, chemins de fer, centres d'enseignement, centres de santé, etc. Aujourd'hui, le pays est en chantier, se transforme et se modernise. Pour la première fois, les Congolais jouissent enfin des richesses de leur sol et de leur sous-sol.

UNE ÉCONOMIE

BANQUE CENTRALE DU CONGO

La RDC, avec son potentiel humain et naturel considérable est un pays promis à un

« *devenir une puissance économique au cœur de l'Afrique, et un centre d'impulsion de la croissance régionale, avec pour préoccupation constante, le bien-être du Congolais. Dans cette optique, septième géant agricole du monde par son potentiel, notre pays aspire légitimement à l'auto-suffisance alimentaire et entend contribuer à celle des pays frères. De même, disposant d'un*

DIVERSIFIÉE

L'entrée principale du siège de la Banque Centrale du Congo (BCC), à Kinshasa.

avenir radieux. Le Président Joseph Kabila exprime clairement les ambitions de son pays :

réseau hydrographique impressionnant, d'importantes ressources forestières et d'immenses potentialités en hydroélectricité, le Congo aspire à satisfaire ses besoins en eau ainsi qu'en énergie électrique non polluante. Il entend aussi aider à faire de l'Afrique un acteur incontournable face aux problèmes de développement durable et de réchauffement climatique.

(Extrait du discours du 30 juin 2010.)

L'Hôtel des monnaies.

Aujourd'hui, le pays retrouve la confiance sur le plan international et devient actif dans l'économie mondialisée. Les relations avec les institutions de Bretton Wood (Fonds monétaire international et Banque mondiale) sont au beau fixe. Pour avoir d'ailleurs atteint le point d'achèvement de l'Initiative-PPTE (Pays pauvres très endettés), la RDC voit sa dette extérieure allégée de près de 90 %. Le communiqué officiel de ces deux institutions date du 1er juillet 2010. L'image du pays, en termes de solvabilité et de crédibilité financière, s'est fortement améliorée.

Grâce à une discipline budgétaire et à la mise en œuvre des réformes structurelles engagées avec détermination pendant près de dix ans dès l'avènement de Joseph Kabila, s'est enfin ouverte pour la RDC la voie de l'annulation d'une partie importante de sa dette extérieure de près de quatre décennies, due au Club de Paris, au Club de Kinshasa et au Club de Londres.

L'importance de la remise de la dette permet d'assainir les comptes publics, de rétablir la capacité d'endettement du pays et de rouvrir les portes aux marchés financiers.

Le Président Joseph Kabila avec le Directeur général du FMI, Dominique Strauss-Kahn.

Fortement tributaire de la conjoncture internationale et en raison de son caractère extraverti, l'économie congolaise est continuellement frappée par les différentes crises mondiales .

À son arrivée au pouvoir, le Président Joseph Kabila est confronté à plusieurs défis, parmi lesquels la réintégration du pays dans la communauté internationale après plusieurs années d'instabilité, le rétablissement des relations commerciales avec les autres pays, la réorganisation et la stabilisation du cadre macro-économique à la base de la reprise de la croissance...

Plusieurs contacts d'affaires établis au cours des déplacements du Chef de l'État ont comme conséquence directe l'arrivée massive de nouveaux investisseurs. Des accords importants sont négociés et signés, en particulier dans les secteurs de la promotion et de la protection des investissements, créant ainsi un nouveau cadre pour la consolidation de la coopération économique et

technique ainsi que les échanges commerciaux internationaux.

Des réformes sont courageusement entreprises. Elles portent non seulement sur la stabilisation et l'amélioration du cadre macro-économique, mais aussi sur la libéralisation de tout le marché (y compris d'extraction du pétrole), l'adoption d'un nouveau taux de change flottant, l'égalité de traitement pour les investisseurs nationaux et étrangers, l'ouverture du portefeuille de l'État aux privés, la mise en place des structures de facilitation et de soutien aux investissements, la libéralisation des transferts des revenus à l'étranger, l'édiction du Code des investissements, du Code douanier, du Code forestier, etc. Sont à ajouter à ces avantages, la prohibition du retrait des garanties et des avantages accordés et le règlement des conflits suivant la Convention d'Icsid (Centre international pour le règlement des conflits d'investissements) et l'adhésion au traité de l'Ohada. Longtemps

déserté à cause des pillages dont il a été victime au début des années 1990, le secteur bancaire en restructuration commence à doper l'économie par une forte collecte d'épargne et une expansion du crédit à la consommation. De plus en plus de banques de renommée internationale sont agréées. Cette amélioration des activités des banques donne une indication sur la réduction du taux de thésaurisation de la monnaie et l'accélération du financement de l'économie.

Pour consolider le bon climat des affaires, la RDC entame en 2010 la liquidation de l'indemnisation des propriétaires des biens « zaïrianisés » en 1973.

La situation économique du pays, dans un environnement international plutôt préoccupant, s'est améliorée en 2010. À titre indicatif, le taux de croissance projeté à 5,4 % en début d'année a atteint 6,1 % en fin d'année, contre 2,9 % en 2009 ; quant au taux d'inflation prévu au début de l'année à 9,9 %, il a été ramené à 8,99 %.

ES POTENTIALITÉS DU PAYS

Le port maritime national de Matadi, le principal du pays en attendant le port en eau profonde de Banana sur financement du Gouvernement et de la Corée du Sud.

LA MODERNISATION DES PORTS

La réalisation et la modernisation des ports maritimes de Matadi et de Boma ainsi que la construction du port en eau profonde à Moanda, à l'embouchure du fleuve Congo avec un quai naturel sur l'océan Atlantique, sont d'un apport considérable dans la relance de l'économie nationale et la promotion du commerce.

La RDC peut ainsi promouvoir une économie très diversifiée grâce à ses énormes potentialités nationales du sol et du sous-sol qui font de ce géant de l'Afrique une « mine » géologique et écologique.

Au moment où les changements climatiques dus aux gaz à effets de serre mettent en danger l'avenir de l'humanité, la RDC, qui constitue le deuxième poumon du monde par son immense forêt équatoriale (45 % de la forêt africaine), a fortement réglementé par son Code forestier l'exploitation de son bois aux essences fort prisées (près de 700 espèces).

Ces dispositions permettront un développement intégré du pays et des populations autochtones, tout en respectant les impératifs de protection de la biodiversité dont le Président Joseph Kabila est un ardent défenseur.

La RDC peut donc exploiter de façon rationnelle ses essences végétales parmi lesquelles les afromosia, ébène, wenge, ipaki, iroko, sapelli, sipro, tiama, bokungu, kambala et tola. Le Président de la République souhaite créer des usines de transformation du bois sur place afin de générer de la valeur ajoutée et de nouveaux emplois.

UNE AGRICULTURE QUI SE MÉCANISE

La République Démocratique du Congo peut réactiver également son agriculture grâce à la mécanisation décidée par le Chef de l'État qui a instruit le Gouvernement pour l'achat de centaines de tracteurs (un premier lot de 700 engins est déjà distribué dans les provinces).

Ainsi, pourront être relancées pour une production à grande échelle des cultures vivrières comme le maïs (expérience déjà concluante dans le Katanga, le Kasaï oriental et le Kasaï occidental), le manioc, les bananes, l'igname, la pomme de terre, le riz, les haricots, les petits pois, les salades, les oignons, les tomates et divers fruits tropicaux. Il en sera de même pour

TOUS LES JOURS DE PLUS EN PLUS

les cultures manufacturières telles que l'hévéa, le coton, les huiles de palme, le café, le cacao, le sisal… La modernisation de la pêche et de l'élevage s'insère dans cette optique.

Cette option de mécanisation de l'agriculture prise par le Président Joseph Kabila a un impact bénéfique à court et à moyen termes non seulement sur l'amélioration de l'alimentation à l'intérieur du pays, mais aussi sur les rentrées de devises étrangères. D'une part, la dépendance aux produits vivriers importés diminue et, d'autre part, le pays retrouve sa capacité à exporter des produits comme les huiles, le coton, le café, le maïs, etc.

Prêchant par l'exemple, le couple présidentiel dans ses champs et sa ferme.

Il y a lieu de noter l'exemple que donne le Président de la République en créant plusieurs fermes agricoles. C'est le cas des fermes de l'Espoir à Kingakati (Kinshasa) et à Kasumbalesa (Katanga), auxquelles il faut ajouter la réhabilitation du DAIPN (Domaine agro-industriel présidentiel de N'sele) implanté à Kinshasa, Lubumbashi et Mbuji-Mayi. Beaucoup de personnes morales et physiques suivent l'exemple du Chef de l'État.

Un champs de maïs dans la province du Katanga.

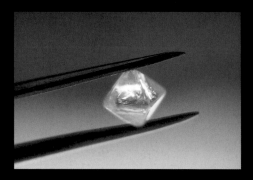

En ce qui concerne les produits du sous-sol, la RDC met à la portée des investisseurs des gisements de diamant, de cuivre, de cobalt, d'or, de cassitérite, de zinc, d'argent, d'étain, de fer, de bauxite, de manganèse, de cadmium, de germanium, de coltan, de céramique parmi les plus fiables et les plus viables qui soient au monde.

Dans son message à la Représentation nationale le mercredi 8 décembre 2010, Joseph Kabila est d'avis que « ...*la rationalité économique exige que dorénavant soit limitée l'exportation des minerais bruts, et que la recherche d'une plus grande valeur ajoutée locale devienne la règle* ».

Quant à l'exploitation des hydrocarbures (pétrole, gaz méthane, charbon, schistes bitumeux...), elle présente de telles opportunités qu'elle apporte un plus à l'économie congolaise.

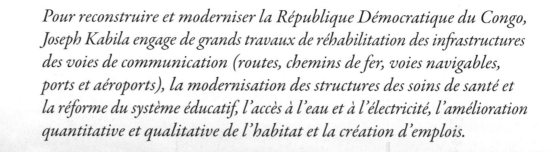

Pour reconstruire et moderniser la République Démocratique du Congo, Joseph Kabila engage de grands travaux de réhabilitation des infrastructures des voies de communication (routes, chemins de fer, voies navigables, ports et aéroports), la modernisation des structures des soins de santé et la réforme du système éducatif, l'accès à l'eau et à l'électricité, l'amélioration quantitative et qualitative de l'habitat et la création d'emplois.

6

LES CINQ CHANTIERS

« J'avais pris alors, devant Dieu et devant la Nation, l'engagement d'œuvrer sans compter pour la consolidation de la démocratie et de l'État de droit, la restauration des valeurs de responsabilité et de solidarité, l'émergence d'une Nation riche et fière de sa diversité, et la matérialisation, au cœur de l'Afrique, du destin auquel nous sommes promis : celui d'un pays uni, fort et prospère... À cette fin, j'avais proposé une vision et un programme, à savoir : "Cinq Chantiers pour changer le Congo"...

Une vision et un programme dont les maîtres mots sont modernisation, renouvellement, renaissance, plutôt que "point à temps", réhabilitation ou raccommodage. Car c'est d'une transformation complète, d'une révolution à tous égards, y compris mentale et morale, dont nous avions et nous avons besoin. »

L'explorateur Henry Morton Stanley, mini-dominici du souverain Léopold II, Roi des Belges et propriétaire de l'État Indépendant du Congo (EIC) de 1885 à 1908, avait dit : « *Sans chemin de fer, le Congo ne vaut pas un penny* ». Le Président Joseph Kabila va au-delà de cette assertion et fait que dans les années à venir, les Congolais pourront se déplacer d'un lieu à l'autre de leur immense pays par des routes bien faites et bien entretenues, des chemins de fer bien aménagés,

des voies navigables (fleuve, lacs, rivières) bien balisées et des voies aériennes bien sécurisées.

La priorité a été accordée aux routes afin de désenclaver le pays et faciliter l'acheminement des engins lourds destinés à la construction de divers ouvrages :

• pour la province du Kasaï oriental, en plus de la voirie urbaine, construction des

tronçons Kamina-Mbujimayi-Kananga, Mbujimayi-Kabinda et Mbujimayi-Kitutu ;

• pour la province du Nord-Kivu, praticabilité, sur près de 600 km, des tronçons Beni-Butembo-Rutshuru et Goma-Sake-Kavumu-Beni-Mangina ; avancement des travaux de réhabilitation de la piste de l'aéroport de Goma, longue de 3 000 mètres et réduite à 2 000 par les laves à la suite de l'éruption du volcan de Nyragongo en 2002 ; et aménagement de la voirie urbaine ;

Le nouveau pont Mpozo, à l'entrée de la ville portuaire de Matadi, appelé à remplacer l'ancien pont, vieux de plus de quatre-vingts ans.

• pour la province du Bandundu, fin des travaux d'asphaltage sur le tronçon Kinshasa-Kikwit, en plus de l'inauguration du pont Loange long de 440 mètres et reliant l'est à l'ouest du pays ;

• pour la Province orientale, fin des travaux de construction de la route en terre battue Kisangani-Beni longue de 750 km et dont le premier tronçon asphalté Beni-Lungu, sur 65 km, a été inauguré le 15 septembre

2010 par le Président de la République ;

• pour la province de l'Équateur, achèvement de la construction du nouveau port de Mbandaka, lancement des travaux de la voirie urbaine de cette même ville pendant que sont prêts à être livrés les tronçons Mbandaka-Bikoro, Bikoro-Wet et Lisala-Bumba en attendant les tronçons Gemena-Businga et Lisala-Businga ;

Le pont Kinsuka du prochain boulevard périphérique de Kinshasa.

Le péage moderne sur le pont Maréchal à Matadi.

• pour la province du Katanga, modernisation de la voirie urbaine de Lubumbashi et construction des tronçons Lubumbashi-Kasenga, Lubumbashi-Kasumbalesa et Lubumbashi-Kasumeno ;

• pour la province du Bas-Congo, fin des travaux de réfection du tronçon Matadi-Kinshasa, réhabilitation en cours du tronçon Boma-Moanda, aménagement du nouveau pont de 120 mètres à l'essieu jeté sur la rivière Mpozo et lancement imminent des travaux du pont en eau profonde à Banana dont la construction est assurée par les Sud-Coréens ;

• pour la province du Maniema, poursuite des travaux d'asphaltage de la voirie urbaine de Kindu et construction en cours de la route Kindu-Kasongo ;

• pour la province du Kasaï occidental, aménagement de la voirie urbaine et des tronçons Kananga-Mbujimayi, Basthamba-Tshikapa et Kananga-Tshikapa ;

• et pour la province du Sud-Kivu, avancement des travaux de la route Kavumu-Centre-ville, aménagement des tronçons Bukavu-Kamituga-Miti, Baraka-Fizi-Minembwe, Miti-Kavumu, Lamituga-Kasongo, Burhale-Shabunda et Bukavu-Kamanyola.

Joseph Kabila lance les travaux sur l'avenue des Poids lourds à Kinshasa.

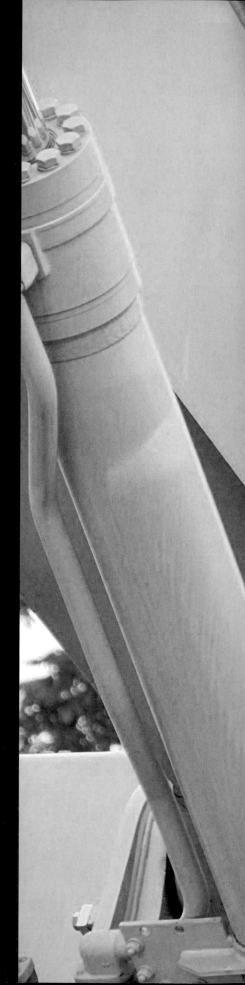

R.D.CONGO/MINISTERE DU PLAN
PONT DU CINQUANTENAIRE
REUNIFICATION DE L'EST & L'OUEST DU PAYS PAR
ROUTE GRACE A LA COOPERATION BM-RDC
INAUGURE CE 02.01.2010 PAR LE PRESIDENT DE LA REPUBLIQUE
S.E. **Joseph KABILA KABANGE**

Dans son discours du 8 décembre 2010 sur l'état de la Nation, le Président de la République dresse le tableau des quatre premières années de son quinquennat avec des réalisations qualifiées de majeures, entre autres :

• la reconstruction de la Route nationale 1,

Le pont Loange sur la rivière qui sépare les provinces du Bandundu et du Kasaï occidental.

depuis le plateau des Batékés jusqu'à la limite du Kasaï occidental (y compris le pont Mpozo au Bas-Congo, le pont Loange au Bandundu et la partie occidentale du Kasaï) ;
• le bitumage de la Route Nationale 1 sur le tronçon Moanda-Kitona-Boma ;

• l'asphaltage de la route Beni-Kisangani jusqu'au niveau d'Erengeti ;
• le bitumage des routes Lubumbashi-Kasomeno, Likasi-Kolwezi et Bukavu-Kavumu alors que s'annonce la construction de la route Batshamba-Tshikapa et de la route Bukavu-Uvira ;

SUR LE CHEMIN DU RENOUVEAU

Le Président Kabila sur la route Kisangani-Beni, longue de 750 kilomètres.

• les avancées très significatives réalisées avec des partenaires de référence pour le port en eau profonde de Banana ;

• le démarrage en 2011 des travaux de réhabilitation et de modernisation de la voirie urbaine de Kisangani, Goma, Bunia, Bukavu, Mbandaka, Mbuji-Mayi, Kananga, Tshikapa, Kindu et Gemena ;

• les financements conséquents obtenus

de la Banque mondiale et de la Chine pour la réhabilitation et l'équipement de la Société nationale des chemins de fer du Congo (SNCC) couvrant les provinces du Maniema, du Kasaï oriental, du Kasaï occidental et du Katanga.

UN AÉROPORT À LA DIMEN

Pour faire de Kinshasa, ville située au cœur de l'Afrique, un carrefour pour les trafics aériens nord-sud-est-ouest, il fallait la doter d'un aéroport digne de ce nom. Or, l'aéroport international de Ndjili, vieux de 55 ans, se trouvait dans un état de dégradation très avancé.

Le Président se donne les moyens de son ambition : ainsi, aux termes des travaux engagés, la piste de cet aéroport passera de 2 000 à 3 600 mètres de long sur 6 mètres de large, avec une bande de piste réhabilitée sur une longueur de 150 mètres, en vue de se conformer aux normes de l'OACI (Organisation internationale de l'aviation civile).

Le Chef de l'État a aussi donné le coup d'envoi des travaux de réfection des aéroports de Muanda, Mbandaka, Goma et Lubumbashi.

LA SANTÉ ET L'ÉDUCATION

Le Président de la République inspecte les travaux de construction
de l'hôpital du Cinquantenaire à Kinshasa.

Hôpital rénové dans le Nord-Kivu.

Joseph Kabila pose la première pierre
des travaux de construction de l'hôpital
de Gemena (province de l'Équateur).

Hôpital moderne sino-congolais dans la commune
de Ndjili à Kinshasa.

Soucieux d'offrir à la République Démocratique du Congo des infrastructures sanitaires ultramodernes, le gouvernement a conclu des contrats de partenariat avec des entreprises étrangères et des privés disposés à accompagner l'État congolais dans l'accomplissement de l'objectif qu'il s'est assigné.

L'hôpital de l'Amitié sino-congolaise dans la commune de Ndjili et l'hôpital Marie Biamba Mutombo dans la commune de Masina en sont de parfaites illustrations. Le Président de la République a procédé au lancement des travaux d'achèvement de la construction de l'hôpital du Cinquantenaire situé dans la commune de Kasa-Vubu.

KINSHASA
DOTÉ D'UN HÔPITAL ULTRAMODERNE

UNE POLITIQUE DE SANTÉ

Commencés en 1956 et financés par le royaume de Belgique, ces travaux avaient été arrêtés à la suite des événements qui avaient conduit le Congo à la souveraineté internationale. Cinquante ans plus tard, Joseph Kabila redonne vie à ce projet. L'hôpital, dont la capacité d'accueil est de 450 lits, est érigé sur une superficie totale de 40 000 m².

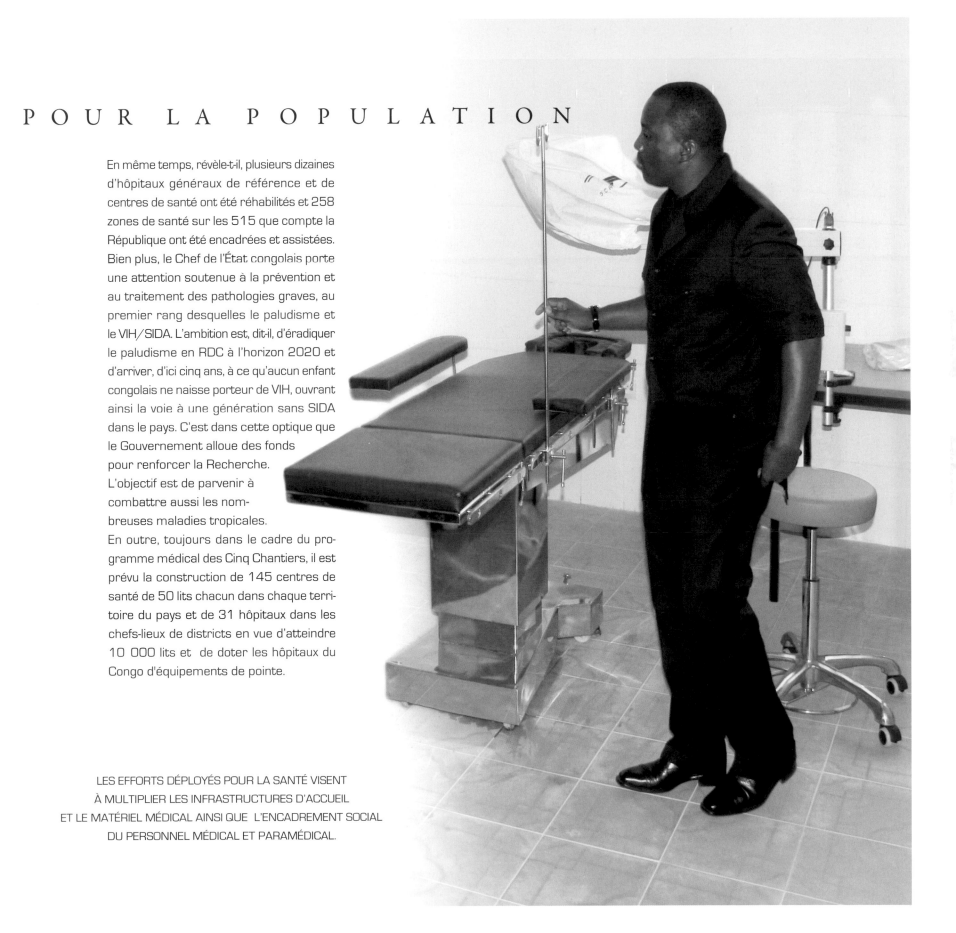

POUR LA POPULATION

En même temps, révèle-t-il, plusieurs dizaines d'hôpitaux généraux de référence et de centres de santé ont été réhabilités et 258 zones de santé sur les 515 que compte la République ont été encadrées et assistées. Bien plus, le Chef de l'État congolais porte une attention soutenue à la prévention et au traitement des pathologies graves, au premier rang desquelles le paludisme et le VIH/SIDA. L'ambition est, dit-il, d'éradiquer le paludisme en RDC à l'horizon 2020 et d'arriver, d'ici cinq ans, à ce qu'aucun enfant congolais ne naisse porteur de VIH, ouvrant ainsi la voie à une génération sans SIDA dans le pays. C'est dans cette optique que le Gouvernement alloue des fonds pour renforcer la Recherche. L'objectif est de parvenir à combattre aussi les nombreuses maladies tropicales.

En outre, toujours dans le cadre du programme médical des Cinq Chantiers, il est prévu la construction de 145 centres de santé de 50 lits chacun dans chaque territoire du pays et de 31 hôpitaux dans les chefs-lieux de districts en vue d'atteindre 10 000 lits et de doter les hôpitaux du Congo d'équipements de pointe.

LES EFFORTS DÉPLOYÉS POUR LA SANTÉ VISENT
À MULTIPLIER LES INFRASTRUCTURES D'ACCUEIL
ET LE MATÉRIEL MÉDICAL AINSI QUE L'ENCADREMENT SOCIAL
DU PERSONNEL MÉDICAL ET PARAMÉDICAL.

UNE JEUNESSE ÉDUQUÉE ET FORMÉE

Pendant la campagne électorale de 2006,
Joseph Kabila fait de l'Éducation l'un des
chantiers moteurs de son projet de société
et de son programme de gouvernement.
L'article 43 de la Constitution qu'il promulgue
le 18 février 2006 consacre la gratuité de
l'enseignement primaire.

Le Président de la République visite une école primaire dans la province du Kivu.

128

L'ESPOIR DU NOUVEAU CONGO DYNAMIQUE

Cette décision a pour conséquence l'augmentation du nombre d'élèves du cycle primaire passant de 8 à 11 millions, soit plus de 13 % d'augmentation. Selon des statistiques fiables, plus de 60 % des 65 millions de Congolais ont moins de 20 ans, pour diverses raisons (culturelles, économiques, conflictuelles, etc.). C'est le gage d'un avenir radieux pour ce pays qui, dans les années à venir, aura une population formée, prête à relever le défi du développement.

Une vaste réforme des programmes tant au niveau primaire, secondaire, professionnel que supérieur est initiée. L'objectif est de les mettre en adéquation avec la mondialisation. À ce jour, on peut observer dans tout le pays des chantiers de réhabilitation des universités (Kinshasa, Lubumbashi et Kisangani), de modernisation de l'IBTP (Institut des bâtiments et travaux publics) et de construction de nouvelles universités, celle de Kindu au Maniema par exemple. L'État intervient dans d'autres projets similaires comme

celui de l'université catholique du Graben à Butembo, au Nord-Kivu.

Des écoles d'enseignement technique et professionnel sont construites dans différentes provinces. Pour les années à venir, le Président Joseph Kabila ambitionne d'ouvrir des écoles primaires et secondaires dans les 147 territoires administratifs et des universités et instituts supérieurs dans les 26 districts appelés à devenir des provinces, selon la Constitution.

Le mercredi 8 décembre 2010, le Président de la République aborde la question de l'éducation dans son discours sur l'état de la Nation devant le Parlement réuni en congrès. Il annonce la fin de la première phase de construction de l'Université catholique de Bukavu et de l'Université de Kindu. Il signale le démarrage des travaux de réhabilitation des Universités de Kinshasa, Kisangani et Lubumbashi, ainsi que de l'Université pédagogique nationale et des instituts supérieurs pédagogiques. Dans le même temps se poursuivent l'agrément par l'État de nouvelles écoles et unités de l'enseignement primaire et secondaire, la distribution des manuels scolaires aux élèves et des guides pédagogiques aux enseignants ainsi que la normalisation des années scolaires et académiques.

L'ENCADREMENT SOCIAL DU CORPS ENSEIGNANT ET DU CORPS ADMINISTRATIF
PRÉOCCUPE AU PREMIER DEGRÉ LE GOUVERNEMENT, AU MÊME TITRE QUE
LES INFRASTRUCTURES D'ACCUEIL ET LES MATÉRIELS DIDACTIQUES ET SCIENTIFIQUES.

L'EAU ET L'ÉLECTRICITÉ
UN POTENTIEL ÉNERGÉTIQUE INESTIMABLE

Le potentiel hydraulique local est estimé à 3 680 000 km³. Cela fait du pays l'une des plus grandes réserves d'eau douce au monde. À lui seul, le fleuve Congo déverse dans l'océan Atlantique 50 000 m³ d'eau à la seconde. Une manne quand on sait que cette denrée est rare dans bien des pays et que les études les plus pointues, menées et produites par de prestigieuses universités, fondent tous leurs espoirs sur la RDC. Depuis une vingtaine d'années, cependant, des villes et des cités semi-urbaines desservies par la Régie nationale de distribution d'eau (Régideso) rencontrent de sérieuses difficultés d'approvisionnement. Cette situation est d'abord et avant tout la conséquence de quarante années d'inertie, face à une croissance démographique exponentielle.

Aujourd'hui, des solutions pratiques sont trouvées au nombre desquelles la relance de la coopération structurelle avec les partenaires traditionnels et l'auto-prise en charge via le système de forage.

À propos de ce système, le Gouvernement a réceptionné des ateliers de forage commandés sur fonds propres et les a répartis dans toutes les provinces, avec mission d'effectuer le plus de forages possible. S'agissant des usines de Régideso, le Gouvernement a obtenu l'assistance de l'Union européenne et du Japon. Le renouvellement du raccordement dans les anciens quartiers et la pose d'un nouveau raccordement sont prévus pour les villes et les cités semi-urbaines.

Usine de traitement d'eau potable de Kinshasa Binza.

Barrage hydroélectrique d'Inga.

Le potentiel hydroélectrique congolais est estimé à 100 000 Mw dont 40 000 Mw pour le seul complexe d'Inga. À partir de ce barrage, la RDC fournit en énergie électrique le Congo-Brazzaville et plusieurs pays d'Afrique australe. Les autres centrales hydroélectriques situées dans des provinces frontalières ont la même vocation : Mobayi Mbongo à l'Équateur pour la RCA, Ruzizi I et II au Kivu pour le Rwanda et le Burundi.

Jusqu'en 1995, selon la Société nationale d'électricité (Snel), un seul centre rural avait été électrifié dans le pays. Mais entre 2006 et 2009, une quinzaine de centres ruraux ont été électrifiés : ceux de Lukula, Madimba, Boko Diso, au Bas-Congo ; de Malemba Nkulu et Pweto, au Katanga ; de Gungu, au Bandundu ; de Mudaka, Mumisho, Nyangezi et Cibimbi, au Sud-Kivu ; de la Cité des Enfants Ngangi, Sake, Kiroshe et Shasha au Nord-Kivu et enfin la ville de Kindu au Maniema.

En 2010, une vingtaine d'autres centres ont été retenus : Kenge, Idiofa et Yumbi au Bandundu ; Kangu, Luango, Kiniati, Nsioni, Ngombe-Matadi et Nkamba au Bas-Congo ; Befale et Karawa à l'Équateur ; Aru, Ariwara et Yakusu en Province orientale ; Kapolowe, Kasaji et Ankoro au Katanga ; Lubawo au Kasaï oriental pendant que Tshsela (Bas-Congo) ainsi que Kasindi et Lubiriha (Nord-Kivu) le sont déjà.

Sont également en cours :

• les travaux de réhabilitation du barrage d'Inga et de Zongo au Bas-Congo (avec en plus la construction d'une nouvelle ligne haute tension Inga-Kinshasa) ; ceux de Ruzizi au Sud-Kivu ; de Bugana en Province orientale ; de Tshala au Kasaï oriental ; de Nseke, Nzilo et Mpiana Mwanga au Katanga et enfin le barrage de Mobaye Mbongo à l'Équateur ;

• les travaux de construction des barrages de Katende au Kasaï occidental ; de Kakobola au Bandundu ; l'interconnexion des villes et localités congolaises frontalières avec l'Ouganda et la RCA et enfin le programme de développement des microcentrales en milieu rural.

Par ailleurs, avec sa forêt équatoriale couvrant 45 % du continent africain et représentant 53 % du territoire national – forêt offrant une variété énorme d'énergies – la RDC est un pays tropical capable de générer l'énergie solaire, ce qui est en train de se faire.

L'EMPLOI

Lors de son accession à l'Indépendance, la RDC manquait de cadres universitaires. Elle disposait en revanche d'une main-d'œuvre qualifiée, formée dans les écoles techniques et professionnelles. Apport considérable dans le développement de l'Industrie et celui des petites et moyennes entreprises congolaises, cette main-d'œuvre a favorisé la création de nombreux emplois. Mais l'abandon progressif de ce type de formation au profit d'un enseignement élitiste a fortement affecté le marché du travail.

La RDC devient en cinquante ans un réservoir d'ingénieurs, de médecins, d'agronomes alors qu'elle manque cruellement d'ouvriers qualifiés : les plus âgés ont été mis à la retraite et les moins âgés se sont installés à l'étranger, parfois dans des pays voisins. Enfin, une bonne politique nationale de l'emploi est mise en application à la faveur des « Cinq Chantiers ».

Le boom économique résultant de l'exploitation des mines, des hydrocarbures, de l'agriculture, de la forêt, de l'immobilier, de l'hôtellerie, des travaux publics, des télécommunications, des banques et institutions financières, des transports, des assurances, etc. est source de création d'emplois. Il en est ainsi des onze provinces pour les ressources dominantes qui les concernent : l'Équateur et le Bandundu pour le bois, le Katanga pour le cuivre et le cobalt, le Bas-Congo pour les hydrocarbures, le Grand-Kasaï pour le diamant, le Grand-Kivu pour le tourisme et le coltan, la Province orientale pour l'or, Kinshasa pour les banques, les télécommunications, les assurances, etc. Pour permettre à l'offre d'absorber la demande, un effort particulier est fait sur la formation aux métiers de développement intégré. L'INPP (Institut national de préparation professionnelle) joue pour ce faire

un rôle majeur, reconnu, du reste, par des partenaires au développement.

« *La poursuite de l'amélioration du climat des affaires et l'accroissement de l'activité économique qui en est attendu devraient permettre la création de beaucoup d'emplois directs et indirects* », dit le Chef de l'État dans le discours sur l'état de la Nation du 8 décembre 2010. Joseph Kabila se félicite de la mécanisation des nouvelles unités et du recrutement opéré tant au niveau de la fonction publique, de la santé, de l'éducation et de la justice, qu'au niveau du secteur privé.

Le rapport du Secrétariat technique pour la promotion de l'emploi (STPE) indique que la mise en place des projets des « Cinq Chantiers » est de nature à générer 19 471 373 emplois au stade de plein rendement.

L'HABITAT

La population congolaise était de 14 millions d'habitants en 1960 et Kinshasa, la capitale, en comptait 400 000. L'État colonial avait aménagé des cités résidentielles comme Bandalungwa, Lemba, Matete, Renkin (Matonge) à Kinshasa ; Rwashi à Lubumbashi, Tshopo à Kisangani..., grâce à un « Fonds d'avance » créé pour permettre aux populations dites « indigènes » d'avoir accès au crédit logement.

Construction de la Cité du Fleuve.

Après l'Indépendance, l'Office national du logement (ONL) et la Caisse nationale d'épargne et de crédit immobilier (CNECI) – auxquels on doit le Motel Fikin à Limete et la cité Salongo à Lemba – n'ont pu faire face à l'augmentation croissante de la population. Faute de politique cohérente, ils seront dissous. Malgré une forte concentration de matériaux intervenant dans la construction immobilière : sable, moellon, caillasse, ciment, argile, eau, bois, etc., les Congolais rencontrent d'énormes difficultés pour se loger.

Une politique d'habitat conséquente vient d'être initiée. Pour le Président Joseph Kabila, le partenariat public-privé est la solution pour augmenter les logements en quantité et en qualité dans les villes. Grâce à cette dynamique nouvelle, des immeubles d'habitation et de bureaux sortent de terre à Kinshasa et dans le reste du pays.

Le Gouvernement a soumis au Parlement un projet pour rendre plus facile l'accès

à la propriété. Il a décidé d'affecter à la construction des logements sociaux, des espaces du domaine privé de l'État comme la pépinière de Bandalungwa et de la concession Fikin, à Kinshasa. Joseph Kabila veut recréer pour les Congolais un cadre de vie moderne qui tient compte de la qualité environnementale : aussi, chaque nouveau lotissement doit avoir en son sein des infrastructures scolaires, médicales, culturelles, sportives, etc.

L'habitat de haut et moyen standing est confié à des entreprises privées qui construisent des immeubles. Tel est le cas des tours Congo-Futur et Rakeen. Une

nouvelle cité, baptisée la « Cité du Fleuve », est en voie d'aménagement sur un site d'une superficie de 200 ha. Il s'agit d'un projet financé notamment par des investisseurs américains et britanniques. Il comprend un ensemble d'immeubles à usage résidentiel, des bureaux, des salles de conférences, un centre commercial ultramoderne, un parc d'attractions, un port de plaisance...

En ce qui concerne l'habitat en milieu rural, le Chef de l'État – qui effectue de multiples déplacements à l'intérieur du pays – fait le constat de l'éparpillement de la population en plusieurs petits villages, souvent distants de plusieurs kilomètres les uns des autres. Aussi, a-t-il commandé une étude pour examiner comment concilier efficacement cet éparpillement avec l'obligation pour l'État de viabiliser ces villages et de faciliter l'accès universel à l'eau potable, à l'électricité, à l'école et aux soins de santé.

139

Avenue du Tourisme à Kinsuka.

Kinshasa, capitale de la RDC, est une mégapole de 8 millions d'habitants. Dans le cadre du programme des « Cinq Chantiers », le Chef de l'État Joseph Kabila veut non seulement redonner à cette ville son lustre d'antan mais aussi la transformer en profondeur. Ainsi sont entrepris de grands travaux de modernisation des artères principales et secondaires de la ville. Le réaménagement du célèbre boulevard du 30 juin en est la parfaite illustration. Véritable avenue des Champs-Élysées de la capitale congolaise, cette opulente artère qui traverse le centre-ville est au cœur des activités modernes : les banques, les magasins de luxe, les compagnies aériennes, les agences de voyages, les cafés, les supermarchés

et les restaurants en occupent la partie nord tandis que les ministères, les administrations, les ambassades prolongent dans la partie sud le boulevard qui débouche sur l'avenue du Colonel Mondjiba. À cet endroit est prévu un échangeur avec un viaduc qui ira vers la commune de Kintambo et un boulevard périphérique vers Kingabwa-Limété en traversant les communes de Lingwala, Kinshasa et Barumbu. L'avenue du Tourisme, qui longe le fleuve Congo avec vue imprenable sur les fameuses chutes de Kinsuka, est complètement réhabilitée. Les communes de Kinsenso, Ndjili, Ngiri Ngiri, Bumbu, Selembao, Makala, Ngaba, Ngaliema ainsi que les quartiers périphériques de la capitale sont en voie d'être désenclavés.

KINSHASA : LE MIROIR D'UN PAYS EN PLEINE MODERNISATION

Boulevard Triomphal.

Boulevard du 30 juin new look.

De nombreuses constructions modernes s'érigent dans la capitale congolaise (hôtels, appartements, grandes surfaces, restaurants, banques) témoignant de la reprise de l'activité économique dans le pays. Des lotissements pour la construction de logements sociaux sont attribués par le Gouvernement de la République pour ne pas accentuer la fracture sociale.

Illumination du boulevard Triomphal et esplanade Palais du peuple.

Nos remerciements pour leur contribution à la réalisation de cet ouvrage vont à :
Gustave Beya Siku
Budim'bani Yambu K.
Omer Nsongo die Lema
Prisca Boyamba
Nono Basubi
et toute l'équipe de la presse présidentielle.

CRÉDITS PHOTOGRAPHIQUES